LES PENDERWICK

L'été de quatre sœurs,
de deux lapins et d'un garçon
très intéressant

JEANNE BIRDSALL

Traduit de l'américain par Julie Lopez

Illustrations de David Frankland

POCKET JEUNESSE
PKJ·

Titre original :
The Penderwicks
A Summer Tale of Four Sisters,
Two Rabbits, and a Very Interesting Boy

Publié pour la première fois en 2005 par Alfred A. Knopf,
département de Random House, Inc., New York

Loi n° 49 956 du 16 juillet 1949 sur les publications
destinées à la jeunesse : mai 2016.

ISBN 978-2-266-26760-1

Pour Bluey

CHAPITRE 1

Un garçon à la fenêtre

Longtemps après cet été-là, les quatre sœurs Penderwick parleraient encore d'Arundel. C'est le destin qui nous y a conduits, dirait Jeanne. Plutôt la cupidité du propriétaire de notre maison à Cape Cod, rétorquerait une autre, sans doute Skye.

Allez savoir qui aurait raison. Mais il est vrai que, la maison en bord de mer qu'ils louaient habituellement ayant été vendue à la dernière minute, les Penderwick se retrouvèrent sans projet pour les vacances d'été. M. Penderwick eut beau appeler partout, plus rien n'était libre à Cape Cod, et ses filles commencèrent à croire qu'elles allaient passer toutes les vacances chez elles, à Cameron, dans le Massachusetts. Même si elles aimaient Cameron, que serait l'été, sans un séjour dans un endroit différent ? Et puis, comme par miracle, M. Penderwick eut vent par l'ami d'un ami d'une petite maison à louer dans les monts du Berkshire, avec des tas de chambres et un enclos grillagé pour le chien. Idéal pour le gros et noir, l'adorable et pataud Crapule. Et la maison était libre pour trois semaines en août. M. Penderwick sauta sur l'occasion sans même avoir vu les lieux.

Il ne savait pas dans quoi il nous embarquait, dirait Linotte. Dommage que maman n'ait pas connu Arundel, remarquerait souvent Rosalind, le jardin lui aurait beaucoup plu. Au ciel il y en a de bien plus beaux, répliquerait Jeanne. Aucune chance pour que maman tombe sur Mme Tifton au paradis, ajouterait Skye pour faire rigoler ses sœurs. En effet elles riraient, avant de passer à un autre sujet, jusqu'à ce que l'une d'elles évoque de nouveau Arundel.

Mais tout ceci, c'est dans l'avenir. Au moment où commence cette histoire, Linotte n'a que quatre ans. Rosalind en a douze, Skye onze, et Jeanne dix. Elles sont dans la voiture en compagnie de M. Penderwick et de Crapule. La famille est en route pour Arundel et, pas de bol, ils sont perdus.

— C'est la faute de Linotte, déclara Skye.

— Pas du tout, répliqua Linotte.

— Bien sûr que si, dit Skye. Nous ne nous serions pas perdus si Crapule n'avait pas mangé la carte, et Crapule n'aurait pas mangé la carte si tu n'avais pas caché ton sandwich dedans.

— C'est peut-être un signe du destin s'il a mangé la carte, hasarda Jeanne. Si ça se trouve, nous allons faire une découverte merveilleuse en cherchant notre chemin.

— Ce que nous allons découvrir, c'est que si je reste trop longtemps à l'arrière d'une voiture en compagnie de mes petites sœurs, je risque de devenir folle et de les découper en morceaux.

— Du calme, derrière, intervint M. Penderwick. Rosalind, si nous faisions un jeu ?

— Jouons à « Je suis allé au zoo et j'ai vu », proposa Rosalind. Je suis allée au zoo et j'ai vu un alligator. Jeanne ?

— Je suis allée au zoo et j'ai vu un alligator et un bison, continua Jeanne.

Linotte était placée entre Jeanne et Skye, c'était donc son tour.

— Je suis allée au zoo et j'ai vu un alligator, un bison et un cangourou.

— Kangourou s'écrit avec un k, pas un c, commenta Skye.

— Pas du tout. Ça commence comme caniche, par un c.

— C'est à toi, Skye, dit Rosalind.

— À quoi ça sert de jouer si on ne respecte pas les règles ? bougonna Skye.

Installée devant avec M. Penderwick, Rosalind se retourna et lança à Skye son regard de sœur aînée. Ça ne servirait pas à grand-chose, elle en était consciente. Skye n'avait qu'un an de moins qu'elle, après tout. Mais ce serait peut-être suffisant pour qu'elle se calme le temps que Rosalind se concentre sur leur itinéraire. Le trajet n'aurait dû prendre qu'une heure et demie, et voilà trois heures qu'ils étaient sur la route.

Elle leva les yeux vers son père. Ses lunettes avaient glissé sur son nez et il fredonnait sa symphonie de Beethoven préférée, celle qui évoque le printemps. Pour Rosalind, cela signifiait qu'il avait plus la tête à ses plantes (il était professeur de botanique) qu'à la conduite.

— Papa, dit-elle, tu te souviens d'avoir vu quoi, sur la carte ?

— Nous sommes censé traverser une petite ville qui s'appelle Framley, tourner deux ou trois fois et puis chercher le numéro 11 de la rue Stafford.

— Nous n'avons pas aperçu Framley tout à l'heure ? Et regarde, dit-elle en pointant le doigt par la fenêtre, nous sommes déjà passés devant ces vaches.

— Quel œil de lynx, Rosy ! Mais dis-moi, nous n'étions pas dans l'autre sens la dernière fois ? Peut-être que cette fois-ci sera la bonne.

— Non, il n'y a que des champs par là, tu te rappelles ?

— Ah oui.

M. Penderwick s'arrêta, fit demi-tour et repartit en sens inverse.

— Il faudrait trouver quelqu'un qui nous indique le chemin, dit Rosalind.

— Ou un hélicoptère qui nous évacue par voie aérienne, s'écria Skye. Et toi, n'étale pas tes ailes débiles sur moi.

Elle s'adressait à Linotte, laquelle, comme toujours, portait les ailes de papillon noir et orange qu'elle adorait.

— Elles ne sont pas débiles, répondit Linotte.

— Wouaf ! dit Crapule, coincé dans le coffre entre les cartons et les valises.

Il prenait invariablement le parti de Linotte, quel que soit le sujet.

— « Égarés et épuisés, les courageux explorateurs et leur fidèle compagnon se disputaient. Seule Sabrina Starr conservait son sang-froid », lança Jeanne.

Sabrina Starr était l'héroïne des livres que Jeanne écrivait. Elle sauvait des animaux. Dans le premier, c'était une sauterelle. Avaient suivi *Sabrina Starr sauve un bébé moineau*, *Sabrina Starr sauve une tortue*, et, le dernier, *Sabrina Starr sauve une marmotte*. Rosalind savait que Jeanne réfléchissait à ce que Sabrina Starr pourrait sauver par la suite. Quand Skye avait suggéré qu'un crocodile mangeur d'hommes dévore l'héroïne et mette ainsi un terme à la série, tout le monde avait protesté. Les romans de Jeanne étaient très appréciés.

On entendit un hompf ! sourd à l'arrière, et Rosalind se retourna pour s'assurer qu'aucune bagarre n'avait éclaté, mais il s'agissait seulement de Linotte qui se tortillait sur son siège : elle essayait de se retourner pour entrevoir Crapule. Jeanne gribouillait dans son carnet bleu. Toutes deux allaient donc très bien. Skye, quant à elle, gonflait les joues à la manière d'un poisson, ce qui voulait dire qu'elle s'ennuyait plus encore que ne l'avait craint Rosalind. Ils avaient intérêt à trouver rapidement la maison.

Rosalind repéra alors une camionnette sur le bas-côté.

— Stop, papa ! Demandons notre chemin.

M. Penderwick arrêta la voiture et Rosalind en descendit. Elle voyait à présent le mot TOMATES peint en grosses lettres sur les portières du véhicule. Une table en bois supportait des monceaux de grosses tomates rouges, et juste derrière se tenait un vieillard vêtu d'un jean fatigué et d'une chemise verte sur la poche de laquelle on lisait : LES TOMATES DE CHEZ HARRY.

— Tomates ? demanda-t-il.

— Demande-lui si elles sont magiques, entendit Rosalind derrière elle.

11

Du coin de l'œil, elle vit Skye agripper Jeanne et la tirer en arrière pour prendre sa place à la fenêtre.

— Mes petites sœurs, s'excusa-t-elle.

— J'en ai six comme ça, répondit le vieil homme.

Rosalind tenta de se représenter six petites sœurs, et n'y parvint qu'en imaginant une jumelle à chacune des siennes. Elle en frémit d'horreur.

— Vos tomates ont l'air délicieuses, mais j'aurais plutôt besoin d'un renseignement. Nous cherchons la rue Stafford, le numéro 11.

— Arundel ?

— Ce nom ne me dit rien. Nous avons loué une maison de vacances à cette adresse.

— C'est bien ça, Arundel, chez Mme Tifton. Une belle femme. Snob comme pas deux, en revanche.

— Oh, mince alors.

— Vous allez vous y plaire. Il y a deux ou trois surprises bien agréables qui vous attendent. Il faudra seulement garder un œil sur la blondinette, dit-il en pointant le menton vers la voiture.

Skye et Jeanne, penchées par la fenêtre, ne perdaient pas un mot de la conversation. Des plaintes étouffées provenaient de Linotte sur laquelle Skye était vautrée.

— Pourquoi moi ? s'écria Skye.

Le vieillard fit un clin d'œil à Rosalind.

— Je sais repérer les fauteurs de troubles. J'en étais un moi-même. Bon, dis à ton père de poursuivre un peu sur cette route, de prendre la première à gauche puis tout de suite à droite, et il ne vous restera plus qu'à trouver le 11.

— Merci beaucoup, dit Rosalind avant de tourner les talons.

— Attends une seconde.

Il plaça une demi-douzaine de tomates dans un sac en papier.

— Voilà pour vous, ajouta-t-il.

— Oh, c'est trop, fit Rosalind.

— Mais non. Dis à ton père que c'est de la part de Harry. Une dernière chose, petite demoiselle. Tes sœurs et toi, vous aurez intérêt à éviter le jardin de Mme Tifton. C'est un sujet sur lequel elle ne plaisante pas. Allez, conclut-il en lui tendant le sac, et régalez-vous avec ça !

Rosalind remonta dans la voiture.

— Tu as entendu ?

— Tout droit, à gauche puis à droite, et nous cherchons le numéro 11, dit M. Penderwick en démarrant.

— Cet Arundel dont il a parlé, qu'est-ce que c'est ? demanda Skye.

— Et qui est Mme Tifton ? enchaîna Jeanne.

— Crapule a besoin d'aller aux toilettes, intervint Linotte.

— Une seconde, ma puce, dit Rosalind. Là, papa, à gauche.

Quelques instants plus tard, ils tournaient dans la rue Stafford et, tout à coup, M. Penderwick pila net au beau milieu de la route. Tout le monde resta bouche bée : que s'étaient-ils imaginé trouver ? Une chaumière mignonne et vieillotte avec des pots de géraniums aux fenêtres, voilà ce à quoi ils s'attendaient. Ce que Harry leur avait raconté sur Mme Tifton la snob n'y avait rien changé. Tout au plus avaient-ils pensé qu'elle pouvait vivre dans une maison voisine de la leur et faire pousser des légumes dans un potager soigné.

Ce n'est absolument pas ce qu'ils découvrirent. Ils avaient devant les yeux deux grands piliers de pierre ; sur l'un était gravé *N° 11*, et sur l'autre *ARUNDEL*. Au-delà, une allée de peupliers si longue qu'elle disparaissait dans le lointain, bordée d'une pelouse impeccable parsemée d'arbres élégants. Et aucune maison en vue.

— Nom d'une pastèque, dit Skye.

— Ça ne ressemble pas du tout à l'entrée d'une maison de vacances, s'écria Rosalind. Papa, tu es sûr que c'est la bonne adresse ?

— Presque, répondit M. Penderwick.

La voiture s'engagea lentement dans l'allée qui leur parut interminable. Enfin, après un dernier tournant, les deux rangées de peupliers s'interrompirent et les craintes de Rosalind se confirmèrent.

— Papa, ça ne peut pas être ça !

— Non, je suis d'accord. Ceci est un manoir.

En effet, devant eux se dressait une énorme bâtisse, au milieu de jardins d'apparat tirés au cordeau. Construite en pierres grises, elle était çà et là flanquée de balcons, de terrasses, de tours et de tourelles. Et quels jardins ! On y voyait des fontaines, des parterres de fleurs, des statues de marbre, et ce n'était là que ce que les Penderwick pouvaient distinguer depuis l'allée.

— « Épuisés, les explorateurs découvrirent une demeure digne des rois. L'Eldorado ! Camelot ! Versailles ! » déclama Jeanne.

— Dommage que nous ne soyons pas des rois, dit Skye.

— Nous sommes toujours perdus, gémit Rosalind.

— Haut les cœurs, Rosy, fit M. Penderwick. Voilà quelqu'un qui va pouvoir nous renseigner.

Un jeune homme poussant une brouette avait surgi de derrière une grande statue de Cupidon et Vénus. M. Penderwick baissa la vitre, mais avant qu'il ait prononcé une parole, un gargouillis étouffé qu'ils connaissaient bien s'échappa de l'arrière de la voiture.

— Crapule a mal au cœur ! couina Linotte.

Les sœurs connaissaient la manœuvre. Elles jaillirent du véhicule et se hâtèrent d'ouvrir le coffre pour tirer le chien sur le bas-côté. Le pauvre animal vomit sur les baskets de Jeanne.

— Oh, Crapule, voyons ! grogna-t-elle en baissant les yeux sur ses chaussures jaunes, mais le chien s'était déjà éloigné pour aller flairer un buisson.

— Ce n'est pas pire que la fois où il a mangé la pizza qu'il avait trouvée dans la poubelle, remarqua Skye.

Linotte s'accroupit pour inspecter les dégâts.

— Je vois une carte, dit-elle en pointant le doigt.

— N'y touche pas ! s'écria Rosalind. Et toi, Jeanne, arrête de secouer les pieds, tu en mets partout. Restez tranquilles, je reviens.

Elle fila chercher de l'essuie-tout dans la voiture.

Le jeune homme à la brouette s'était approché et discutait avec M. Penderwick.

— J'ai remarqué des *Linnaea borealis* le long du chemin. Étrange d'en trouver là. Mais ce qui m'intéresse au premier chef, c'est le *Cypripedium arietinum*. Si vous connaissez les coins où je peux en dénicher… Il aime la terre humide, l'ombre.

Rosalind plongea la tête dans le coffre et farfouilla dans les bagages. C'était bon signe lorsque son père utilisait le latin pour parler des plantes. Elle espéra qu'il penserait tout de même à demander son chemin au garçon. Plutôt pas mal, d'ailleurs, celui-là. Dix-huit ans, peut-être dix-neuf, des cheveux châtain clair dépassant de sa casquette. Elle leva la tête et coula un regard vers les mains du jeune homme. Anna, sa meilleure amie, répétait sans cesse qu'on apprenait beaucoup sur les gens en observant leurs mains. Il portait des gants de jardinier.

Le rouleau d'essuie-tout était dissimulé derrière l'ordinateur de M. Penderwick, sous le ballon de football. Rosalind en arracha une pleine poignée et retourna vers ses sœurs en courant. Jeanne et Skye étaient en train de camoufler le vomi sous des feuilles.

— Rappelle-toi quand il avait mangé la tarte au citron au pique-nique des Geiger. Il avait vraiment gerbé, cette fois-là, dit Skye.

— Et quand il avait volé un pâté à la viande dans le frigo ? Il a été malade pendant deux jours, renchérit Jeanne.

— Chut ! les coupa Rosalind en essuyant les baskets de sa sœur.

M. Penderwick et le garçon s'approchaient.

— Les filles, je vous présente Thomas.

— Salut, dit le jeune homme avec un grand sourire.

Il ôta ses gants et les fourra dans les poches de son jean. Rosalind observa soigneusement ses mains, sans rien leur trouver de particulier. Elle aurait bien aimé avoir l'avis d'Anna.

— Thomas, ces quatre demoiselles sont ma joie et ma fierté, dit M. Penderwick. La blonde est ma deuxième fille, Skye...

— Des yeux bleus comme le ciel[1], dit celle-ci en écarquillant les paupières pour bien les lui montrer.

— C'est comme ça qu'on la reconnaît, observa Jeanne. Nous autres, nous avons toutes les mêmes yeux marron et des cheveux bruns et bouclés. Les gens me confondent tout le temps avec Rosalind.

— Ah non, je suis bien plus grande que toi, rétorqua Rosalind en prenant conscience que non seulement elle avait à la main des chiffons souillés, mais qu'en plus elle portait un tee-shirt sur lequel on pouvait lire ÉCOLE PRIMAIRE DE WILDWOOD.

Quelle idée d'avoir mis ça ! Il allait croire qu'elle fréquentait encore la petite école, alors qu'elle allait rentrer au collège en septembre !

— Enfin, bref, la grande, c'est Rosalind, mon aînée, l'autre s'appelle Jeanne, et…

M. Penderwick regarda autour de lui.

— Par là, dit Jeanne en désignant du doigt des ailes orange et noir qui dépassaient d'un tronc d'arbre.

— Et voici Linotte, la plus timide. Les filles, j'ai une bonne nouvelle. Nous sommes bien arrivés, en fin de compte. Thomas est le jardinier d'Arundel – c'est le nom du domaine – et il nous attendait. Notre maison est au fond de la propriété.

— C'était le pavillon des invités du temps du général et de Mme Framley, expliqua Thomas. C'est bien plus calme maintenant que Mme Tifton en a la charge.

— Mme Tifton ! s'exclama Jeanne, qui aurait enchaîné si elle n'avait reçu le coude de Rosalind dans les côtes.

---

1. *Sky* signifie « ciel » en anglais *(N.D.T.)*.

— Très bien, les filles, en route ! dit M. Penderwick. Thomas, j'espère que nous aurons l'occasion de poursuivre notre conversation sur la flore locale.

— Ce sera avec plaisir, répondit le jeune homme. Alors, empruntez cette route sur votre gauche, passez devant les écuries et prenez par le parc. Vous verrez le jardin en contrebas sur votre gauche et le pavillon grec à droite. Continuez jusqu'à la haie. Le pavillon se trouve à une centaine de mètres. Il est jaune. Impossible de se tromper. La clé est sous le paillasson.

Rosalind alla chercher Linotte pendant que Skye courait après Crapule, et bientôt tous furent dans la voiture, prêts à partir, sauf Jeanne. Elle se tenait au milieu de l'allée, le regard fixé sur la façade du manoir d'Arundel.

Rosalind l'appela par la vitre.

— Jeanne ! On y va !

La fillette tourna les talons à contrecœur.

— J'ai cru voir un garçon à une fenêtre. Il regardait dans notre direction.

Skye se pencha par-dessus Linotte, l'écrasant au passage.

— Où ça ?

— Là-haut, répondit Jeanne. Dernière rangée, sur la droite.

— Il n'y a personne.

— Enlève-toi de là ! gémit Linotte.

Skye reprit sa place.

— Tu as dû rêver, Jeanne.

— Peut-être. Je ne crois pas. Mais que j'aie rêvé ou non, ça m'a donné une idée.

CHAPITRE 2

Un tunnel dans la haie

Non seulement le pavillon d'Arundel était jaune, mais du jaune le plus crémeux et le plus chaleureux que les Penderwick avaient jamais vu. C'était la parfaite incarnation d'une maison de vacances : petite et douillette, à l'ombre de nombreux arbres, avec une véranda et des rosiers grimpants.

La clé se trouvait bien sous le paillasson, comme l'avait indiqué Thomas. M. Penderwick ouvrit la porte, et la famille se rua à l'intérieur, qui était encore plus charmant que l'extérieur, à supposer qu'une telle chose soit possible. Les meubles de la salle de séjour, décorée dans de jolis tons de bleu et de vert, dégageaient une impression de confort et de solidité. Une porte donnait sur une agréable pièce munie d'un grand bureau et d'un canapé-lit, que M. Penderwick s'appropria sur-le-champ, expliquant qu'il préférait se tenir à l'écart de la foule déchaînée.

Les sœurs devaient maintenant aller choisir leurs chambres à l'étage.

— Prem's ! s'écria Skye en se dirigeant vers les marches, valise à la main.

— C'est pas juste ! protesta Jeanne. Je n'y avais pas encore pensé.

— Exact. J'y ai pensé en premier, donc je décide la première, répondit Skye, qui avait déjà gravi la moitié de l'escalier.

— Reviens, Skye, intervint Rosalind. Crapule va nous tirer au sort.

Skye grommela et redescendit à contrecœur. Elle détestait remettre des décisions importantes entre les pattes de Crapule, d'autant plus qu'il la choisissait presque toujours en dernier.

Le tirage au sort de Crapule était une longue tradition familiale. Les filles écrivaient leur nom sur de petits morceaux de papier qu'elles éparpillaient par terre parmi des miettes de biscuit pour chien. Celle dont le nom figurait sur le premier papier que reniflait Crapule pouvait choisir la première, et ainsi de suite.

Rosalind et Jeanne préparèrent les papiers tandis que Linotte émiettait le biscuit. Skye, qui retenait Crapule, ne cessait de lui murmurer son nom à l'oreille pour l'hypnotiser. En vain : une fois relâché, le chien toucha d'abord le papier de Jeanne, puis celui de Rosalind, et enfin celui de Linotte. Il avala le nom de Skye en même temps que le dernier morceau de gâteau.

— Génial, dit Skye avec tristesse. J'arrive en dernier, et en plus Crapule sera encore malade.

Jeanne, Linotte et Rosalind se précipitèrent dans l'escalier avec leurs bagages, laissant Skye à ses ruminations. Elle avait rêvé d'une chambre exceptionnelle, de préférence peinte en blanc, nette et bien rangée, comme celle où elle avait dormi autrefois, des années auparavant. Quand Linotte était née, elle avait pris la chambre de Jeanne, qui s'était installée dans celle de Skye. Une moitié de sa chambre avait alors été peinte de couleur lavande, et les poupées, les livres et les liasses de papiers de sa sœur l'avaient envahie, ne cessant de déborder sur son côté. Les choses ne s'étaient pas arrangées avec le temps, Jeanne étant toujours aussi désordonnée. Et voilà que maintenant, pour les vacances, Skye allait se retrouver coincée dans un cagibi sombre et hideux. La vie était trop injuste.

— Skye, nous avons choisi. Viens voir ta chambre, l'appela Rosalind.

Skye monta à l'étage en traînant les pieds et suivit le couloir jusqu'à la porte que Rosalind lui désignait. En entrant, elle fut si surprise que sa valise lui en tomba des mains. Au lieu d'un cagibi déprimant, ses sœurs lui avaient laissé la chambre la plus parfaite qu'elle avait jamais vue : grande, blanche, d'une propreté immaculée, avec un parquet ciré et trois fenêtres. Et deux lits ! Un lit supplémentaire sans aucune sœur pour l'encombrer !

Elle décida qu'elle ne toucherait à rien. Ses affaires resteraient dans sa valise, qu'elle rangerait dans le placard, et elle ne mettrait rien ni sur la commode ni sur l'étagère. Pas de poupées, pas de peignes ni de brosses, pas de carnets remplis des histoires de Sabrina Starr. Elle dormirait dans les deux lits : le lundi, le mercredi et le vendredi dans l'un, le mardi, le jeudi et le samedi dans l'autre. Le dimanche, elle en changerait au milieu de la nuit.

Elle ouvrit son sac, sortit un livre de mathématiques (elle apprenait l'algèbre pour le plaisir) et inscrivit cet emploi du temps à côté de son problème préféré sur deux trains roulant en sens inverse. Puis elle souleva ses tee-shirts noirs à la recherche de son chapeau de camouflage porte-bonheur, celui qu'elle portait le jour où elle avait chuté du toit du garage et s'en était tirée sans rien de cassé. Elle le mit, ferma sa valise et la fourra dans le placard.

— Maintenant, allons explorer !

Après un dernier regard satisfait à sa superbe chambre, elle partit à la recherche de ses sœurs.

Rosalind se trouvait à l'autre bout du couloir dans une petite pièce ne comportant qu'une seule fenêtre et qu'un seul lit. Elle rangeait soigneusement ses vêtements dans une commode.

— Vous m'avez donné la meilleure chambre, dit Skye.

— Je voulais dormir près de Linotte, répondit Rosalind.

— Merci, en tout cas.

Skye savait que sa sœur aurait apprécié le luxe d'une chambre spacieuse.

Rosalind sortit une photo encadrée de sa valise et la posa sur sa table de nuit. Skye s'approcha pour la regarder, bien qu'elle la connaisse déjà par cœur : chez elles aussi, Rosalind la gardait toujours auprès de son lit. Elle représentait Mme Penderwick en train de rire et de câliner Rosalind bébé. Skye n'était pas encore née à l'époque, sans parler de Jeanne et de Linotte.

Tous les Penderwick pensaient qu'en grandissant Skye deviendrait le portrait craché de sa mère. Tous, sauf Skye. Elle considérait sa mère comme la plus belle femme au monde, une beauté qu'elle ne retrouvait pas en se regardant dans le miroir. Certes, elles avaient les mêmes cheveux et les mêmes yeux, mais, pour elle, la ressemblance s'arrêtait là. Sans compter qu'elle se voyait mal rire en tenant un bébé dans ses bras.

Linotte déboula du placard de Rosalind, ses ailes papillonnant autour d'elle.

— J'ai trouvé un passage secret, dit-elle.

En regardant dans le placard, Skye aperçut en effet une chambre identique à celle de Rosalind. La valise de Linotte était ouverte sur le lit.

— Ce n'est pas un passage secret. C'est juste une penderie entre deux chambres.

— Si, c'est un passage secret, et tu n'as pas le droit de l'utiliser !

Skye lui tourna le dos.

— Je vais explorer les environs. Tu veux venir ? demanda-t-elle à Rosalind.

— Pas maintenant, je n'ai pas fini de m'installer. Linotte peut aller avec toi ?

— Non ! répondirent en chœur Linotte et Skye, et cette dernière quitta la pièce avant que son aînée essaie de les faire changer d'avis.

Jeanne avait revendiqué la chambre du deuxième étage, ou plutôt le grenier, qu'on atteignait en gravissant un petit escalier très raide. Skye découvrit sa sœur perchée sur un lit étroit aux montants de cuivre, occupée à écrire avec ardeur dans un carnet bleu. Elle marmonnait dans sa barbe :

— « Le jeune Arthur agrippa les barreaux de fer

et ragea contre son infâme geôlière »… Non, trop dramatique. Pourquoi pas : « Arthur regardait tristement… » ? Non : « Le garçon solitaire prénommé Arthur regardait tristement par la fenêtre, loin de se douter que les secours étaient en route. » Oh, ça c'est une bonne phrase. « Il ignorait que l'extraordinaire Sabrina Starr… »

— Je pars explorer les environs, l'interrompit Skye, tu veux venir ?

— Regarde cette chambre magnifique, s'extasia Jeanne, les yeux brillants. Elle est faite pour un écrivain. Je sais que je pourrai écrire l'aventure parfaite de Sabrina Starr, ici. Je le sens. Pas toi ?

Skye observa la minuscule chambre mansardée dotée d'une haute fenêtre ronde. Il y avait déjà des livres éparpillés par terre.

— Non, je ne sens rien du tout.

— Oh, fais un effort ! C'est pourtant évident. Je suis sûre qu'un auteur célèbre a vécu ici avant moi. Louisa May Alcott[1], peut-être.

— Jeanne, tu veux venir, oui ou non ?

— Pas maintenant. Il faut que je note quelques idées pour mon livre. Dans ce tome, Sabrina Starr pourrait bien secourir une vraie personne. Un garçon. Qu'en penses-tu ?

— Je ne la croyais même pas capable de sauver une marmotte, répondit Skye, mais Jeanne s'était déjà remise à écrire.

Skye descendit au rez-de-chaussée et sortit. Son père installait Crapule dans un enclos. Aux yeux de

1. Auteur des *Quatre Filles du docteur March*.

Skye, c'était un véritable paradis pour chien, malgré la haute clôture. (Crapule détestait les clôtures.) Il était vaste, ombragé, pourvu de bâtons à mastiquer et même d'un carré de terre pour qu'il puisse y creuser. En plus, M. Penderwick lui avait servi une grande gamelle de sa nourriture préférée et deux bols d'eau fraîche. Pourtant, le chien ne semblait pas reconnaissant. En voyant Skye, il se précipita à la barrière et se mit à aboyer et à gémir comme si on l'avait enfermé dans un donjon.

— Doucement, démon, dit M. Penderwick.

— Il essaie d'ouvrir la barrière, remarqua Skye.

Crapule donnait des coups de museau sur le loquet métallique.

— C'est un loquet spécialement étudié pour résister aux chiens. Il sera en sécurité ici.

Skye grattouilla l'animal à travers le grillage.

— Papa, je pars en exploration, d'accord ?

— À condition que tu sois revenue dans une heure pour le dîner. Et Skye, *quidquid agas prudenter agas et respice finem.*

M. Penderwick ne réservait pas le latin qu'à ses plantes, il l'utilisait également dans son langage courant. D'après lui, cela lui permettait de garder un cerveau en bonne santé. La plupart du temps, ses filles n'avaient pas la moindre idée de ce qu'il racontait, mais Skye avait l'habitude d'entendre cette phrase qu'il avait un jour librement traduite ainsi : « Regarde où tu mets les pieds et, s'il te plaît, ne fais rien de trop stupide. »

— Ne t'inquiète pas, papa, dit-elle en toute bonne foi.

S'introduire dans les jardins de Mme Tifton, comme elle en avait l'intention, n'avait rien de stupide. D'un autre côté, ce n'était pas non plus recommandé, à en croire Harry, l'homme aux tomates. Mais s'il avait tort ? Peut-être que Mme Tifton adorait que des étrangers errent dans ses jardins. Tout est possible, se dit Skye, et elle s'éloigna en saluant son père et Crapule de la main.

Le terrain entourant la maison aurait pu contenir trois ou quatre terrains de football. Sauf qu'il serait difficile d'organiser de vrais matchs ici, pensa-t-elle. Derrière la maison, il y avait trop d'arbres et des broussailles épineuses. Devant, le jardin était beaucoup plus accueillant, avec des arbres épars et du gazon parsemé de fleurs des champs.

D'un côté, un grand mur séparait le pavillon de vacances de ses voisins, et de l'autre s'élevait une haie, derrière laquelle, elle le savait, se trouvaient les jardins de Mme Tifton. Elle avait deux options pour y entrer. La première consistait à remonter l'allée et à emprunter le passage taillé dans la haie : pas très drôle, surtout qu'elle risquait de se faire prendre. Sinon, elle pouvait se frayer un passage dans la haie pour arriver dans un coin tranquille du jardin, là où personne ne pourrait la voir.

Sans hésitation, elle choisit l'option numéro deux. Mais la haie se révéla beaucoup plus épaisse et piquante qu'elle ne l'avait prévu, et ses tentatives pour s'y glisser se soldèrent par des accrocs à son chapeau et plusieurs égratignures sur ses bras. On aurait dit qu'elle venait d'affronter un tigre.

Alors qu'elle s'apprêtait à abandonner la partie, elle fit une découverte : un tunnel soigneusement dissimulé derrière une grande touffe de fleurs sauvages, assez grand pour qu'elle puisse s'y faufiler à quatre pattes. Bien sûr, si Rosalind avait été là, elle aurait remarqué qu'il était trop bien taillé pour se trouver là par hasard. Elle en aurait déduit qu'il était utilisé régulièrement, et sûrement pas par Mme Tifton. Jeanne aurait elle aussi deviné que le tunnel n'était pas l'œuvre de la nature, mais plutôt celle de criminels en fuite ou de blaireaux parlants, ou toute autre explication absurde. En tout cas, elle se serait posé la question. Mais il s'agissait de Skye. Il lui fallait un moyen de passer au travers de la haie, et elle venait d'en trouver un. Elle plongea à l'intérieur.

Elle émergea à la lisière d'un immense jardin à la française, juste derrière une statue de marbre. Celle-ci représentait un homme drapé dans une toge, qui brandissait un éclair au-dessus de sa tête. Skye le trouva ridicule, mais il lui offrait une cachette bienvenue. Elle pencha la tête sur le côté. Elle avait de la chance : la seule personne en vue, occupée à arracher les mauvaises herbes entre des dalles, était déjà un ami.

— Thomas ! s'écria-t-elle en courant jusqu'à lui.

Elle souleva son chapeau pour lui montrer ses cheveux blonds.

— C'est moi, Skye Penderwick !

— Des yeux bleus comme… commença-t-il, mais il fut interrompu par une voix qui hurlait son nom et se rapprochait d'eux. Je ferais mieux de te cacher. On dirait qu'elle est de mauvaise humeur.

— Qui ça ? demanda Skye.

Thomas l'avait déjà soulevée de terre pour la déposer dans une grande urne aux motifs de lierre et de fleurs.

— Garde la tête baissée et reste tranquille jusqu'à ce qu'elle s'en aille.

Skye s'accroupit. Elle aurait préféré qu'il choisisse une urne sans eau sale au fond, mais il était trop tard pour se préoccuper de ça, car la personne mal lunée n'était plus qu'à quelques mètres.

— Par ici, madame Tifton ! cria Thomas.

Skye se figea. La mystérieuse Mme Tifton ! Si seulement elle pouvait la voir ! Pourquoi n'y avait-il pas de trous pour les yeux dans ce fichu pot ?

— Au nom du ciel, Thomas, tu ne m'entends donc pas quand je t'appelle ? Je n'ai pas le temps de te courir après.

Cette voix dure et impatiente rappela à Skye son institutrice de CE1, qui l'avait un jour accusée d'avoir triché au sujet d'une longue division, prétextant que les élèves de son âge ne savaient qu'additionner et soustraire. Elle entendit également un cliquetis désagréable sur les dalles. Mme Tifton devait porter des talons hauts. Des talons hauts de snobinarde.

— Oui, madame. Désolé, madame. Ça ne se reproduira plus.

— Je viens de recevoir le programme de la compétition du Club de jardinage. Le juge et le comité viendront à Arundel dans moins de trois semaines. Comme tu le sais, ils vont inspecter des jardins dans toute la région, et je veux que ce soit le mien qui l'emporte cette année.

— Il l'emportera, madame Tifton. Je vous le promets.

— Il te reste encore beaucoup de travail.

— Oui, madame.

— Que comptes-tu faire avec ces urnes ? Elles sont ridicules, sans rien dedans.

Horrifiée, Skye entendit le cliquetis se rapprocher d'elle. Elle se replia encore plus sur elle-même et se félicita de porter son chapeau de camouflage. Il pourrait faire illusion, à supposer que cette femme soit à moitié aveugle.

Soudain, elle sentit que sa cachette se balançait d'avant en arrière. Thomas s'était cogné contre l'urne en s'interposant entre elle et sa patronne.

— Du jasmin, répondit-il. Je vais y mettre plusieurs jasmins roses. Voulez-vous venir m'aider à sélectionner les plus beaux spécimens dans la serre ?

— Bien sûr que non. C'est pour ça que je te paie. Oh, au fait, Thomas, je veux que tu coupes ce gros rosier blanc qui borde l'allée.

— Le *Fimbriata* ? demanda Thomas.

Sa voix ressemblait à celle de M. Penderwick le jour où Crapule avait dévoré une orchidée très rare.

— Il a éraflé la voiture de Mme Robinette après la dernière réunion du comité du Club de jardinage. Fais-le disparaître.

— Oui, madame.

Lorsque le bruit des talons de Mme Tifton se fut évanoui, Skye osa enfin lever les yeux. Thomas la regardait d'un air sombre.

— Mon oncle a planté ce rosier il y a trente ans. Il l'enveloppait chaque hiver dans de la toile pour le protéger du froid. Je ne vais pas le tuer sous prétexte que Mme Robinette ne sait pas conduire.

Il sortit la fillette de l'urne.

— Ton oncle était lui aussi jardinier ici ? demanda-t-elle.

— Oui, j'étais plus jeune que toi quand j'ai commencé à venir l'aider après l'école. Il a pris sa retraite l'année dernière et Mme Tifton m'a offert sa place.

Alors qu'elle sautillait sur place pour faire sortir l'eau de ses chaussures, Skye eut une idée.

— Pourquoi ne pas transporter la plante jusque chez nous ? Papa pourra en prendre soin le temps de notre séjour.

Le visage de Thomas s'illumina.

— Tu as raison. Mme Tifton n'en saura rien. Et inutile d'embêter ton père avec ça, je viendrai l'arroser moi-même tous les jours.

La voix stridente retentit de nouveau.

— Thomaaas !

— C'est reparti. Tu ferais mieux de déguerpir. Je vais la distraire pendant ce temps-là.

Skye aurait préféré retourner dans l'urne pour espionner Mme Tifton, mais elle savait que Thomas avait raison. Elle lui serra la main puis, en avançant d'arbuste en arbuste, elle retourna à la statue.

— Thomaaas !

La voix était de plus en plus proche. Skye se jeta la tête la première dans le tunnel et boum ! se cogna contre quelqu'un. Elle s'étala par terre, dans un méli-mélo de bras et de jambes.

— Aïe !

Elle se toucha la tête pour vérifier qu'elle ne saignait pas. Heureusement, son chapeau avait amorti le choc et elle n'avait rien de grave. Tant mieux, il lui restait des forces pour assassiner celle de ses sœurs qui avait causé l'accident. Elle se redressa, repoussa une mèche tombée devant ses yeux et regarda qui était à moitié écrasé sous elle.

Ce n'était pas une de ses sœurs, mais un garçon de son âge, avec des taches de rousseur et des cheveux bruns et raides. Les yeux fermés, le visage pâle, il ne bougeait pas.

— Tu es inconscient ? demanda Skye, prise de panique.

Elle se mit à l'éventer avec son chapeau, imitant un cow-boy qu'elle avait vu dans un western. En vain : il n'ouvrait toujours pas les yeux. Dans les films, ils giflent parfois les gens pour les réanimer, pensa-t-elle, mais elle hésitait à frapper quelqu'un qu'elle venait juste de mettre K.-O. Le garçon était pourtant en danger. Elle devait agir. Elle leva la main et…

Il ouvrit les yeux.

— Ouf, dit-elle. J'ai cru que tu allais mourir.

— Ce ne sera pas pour cette fois.

— Tu as mal à la tête ?

Il se toucha le front et grimaça.

— Pas trop.

— Bon, tant mieux. Je vais te ramener chez toi. Tu habites où ?

— J'habite…

— Lucas !

C'était encore Mme Tifton, et sa voix était plus proche que jamais. Skye plaqua sa main sur la bouche du garçon.

— Chut, danger ! C'est cette snob de Mme Tifton, une vraie casse-pieds ! Si elle nous surprend dans son jardin, elle va nous…

31

Le garçon se dégagea et s'assit avec peine. Il était encore plus pâle qu'avant. Elle aurait presque pu compter ses taches de rousseur.

— Est-ce que ça va ? On dirait que tu as envie de vomir.

— LUCAS ! Où es-tu ?

Soudain, Skye comprit.

— Oh, non.

— Excuse-moi, dit le garçon, très digne. Ma mère m'appelle et tu m'empêches de passer.

CHAPITRE 3

La R A P

Il était l'heure pour Linotte d'aller se coucher. Elle avait pris un bain, s'était brossé les dents et avait enfilé son pyjama à motifs de sirènes. Debout au milieu de sa chambre, elle regardait autour d'elle. Ses ailes de papillon étaient pendues à la poignée du placard, prêtes pour le lendemain. Sa photographie préférée de Crapule, encadrée par son père, trônait sur la petite commode blanche, près de la fenêtre. Rosalind avait déployé sa couverture aux licornes sur son lit, et Sedgewick le cheval, Phanty l'éléphant bleu, Ursula l'ours et Fred, le deuxième ours, étaient assis sur son oreiller. Cette chambre n'était pas trop mal, décida-t-elle. Pas aussi rassurante et douillette que la sienne, à la maison, mais il y avait au moins un passage secret qui donnait dans la chambre de Rosalind. Rien de terrifiant ne pouvait se cacher dans un placard pareil.

Rosalind n'allait pas tarder à venir lui raconter une histoire, comme chaque soir. Ensuite, comme

33

chaque soir également, son père viendrait la border et l'embrasser. Elle aimerait entendre une histoire sur sa mère, pensa-t-elle. Rosalind lui en avait déjà raconté des milliers, mais elles la fascinaient toujours, surtout lorsqu'elle devait s'endormir dans un lit étrange et inconnu.

Elle s'assit au bord du lit et rebondit dessus. Ça devrait aller, se dit-elle. Ça irait encore mieux si Crapule était autorisé à dormir avec elle, ou si Rosalind allait elle aussi se coucher dès maintenant. Mais Crapule n'avait jamais le droit de dormir dans sa chambre, car il avait une fâcheuse tendance à lui léchouiller le visage en pleine nuit. Quant à Rosalind, elle ne rejoindrait pas sa chambre avant un bon moment parce que Skye avait organisé une RAP, une Réunion des Aînées Penderwick, à huit heures. Rosalind, Skye et Jeanne les appelaient ainsi pour que leur père et Linotte ne puissent pas savoir de quoi il s'agissait. Mais Linotte connaissait déjà les RSP, les Réunions des Sœurs Penderwick, car elle y était toujours invitée, et il n'y avait qu'une lettre de différence. Skye avait épelé le sigle – ère-a-pé –, pensant qu'elle n'y comprendrait rien. Si seulement Skye ne la tenait pas toujours à l'écart !

Soudain, la porte s'ouvrit à la volée et Crapule entra en remuant joyeusement la queue.

— Crapule ! s'écria Linotte. Comment es-tu monté ici ?

Ils n'avaient pas le temps de discuter : Rosalind allait arriver d'une minute à l'autre. Linotte poussa Crapule dans le placard et ferma la porte derrière lui. Elle le laisserait entrer plus tard, et comme ça ils pourraient organiser leur propre réunion, rien que tous les deux. Elle retourna sur le lit pour attendre sa sœur.

Lorsque la porte s'ouvrit de nouveau, après une minute, ce n'était toujours pas Rosalind, mais encore Crapule, visiblement très content de lui.

— Crapule ! s'écria Linotte, désespérée.

Il devait avoir emprunté le passage secret. Elle se rua dans le placard et ferma la porte qui donnait sur l'autre chambre. Elle essayait de tirer le chien à l'intérieur lorsque Rosalind fit son entrée.

— Ne t'en fais pas, papa est d'accord pour que Crapule dorme avec toi. On s'est dit que tu aurais peur de dormir toute seule dans une nouvelle chambre.

— Je n'ai pas peur.

— Mais n'oublie pas qu'il n'a pas le droit de monter sur le lit.

— D'accord.

Elle relâcha le chien, qui traversa la chambre et sauta sur le lit. Rosalind le fit descendre.

— As-tu choisi ton histoire ?

Linotte se glissa sous les couvertures. Son lit lui paraissait bien plus accueillant maintenant qu'elle savait que Crapule resterait toute la nuit avec elle.

— Raconte-moi comment maman a choisi mon prénom.

Rosalind aurait préféré lui parler de la jeunesse de sa mère, pas des derniers jours avant sa mort. Mais c'était l'une des histoires préférées de Linotte. Après tout, elle n'avait pas partagé beaucoup de temps avec sa mère.

— Juste après ta naissance, papa et moi sommes venus vous voir à l'hôpital.

— Sans Skye et Jeanne, précisa Linotte d'un air satisfait.

— Tout à fait. Tante Claire était venue nous donner un coup de main à la maison et les filles étaient restées avec elle. Maman était assise dans son lit d'hôpital, vêtue d'une superbe robe bleue, et elle te tenait dans ses bras. Papa a demandé : « Comment allons-nous l'appeler, chérie ? » Et elle a répondu : « Donne-lui mon nom. »

— Alors papa est devenu triste.

— C'est vrai. Il était triste et lui a répondu qu'il n'y aurait jamais qu'une seule Caroline pour lui. Alors maman a dit : « Nomme-la Caroline, mais appelle-la Linotte. Je crois qu'elle a le sens de l'humour. »

— Et à ce moment-là, j'ai souri.

— Maman a dit : « Tu vois, Martin ? Elle sourit. Son prénom lui plaît. Pas vrai, Linotte ? » Elle t'a embrassée et tu as souri de nouveau.

— Et deux semaines après, maman est morte du cancer et je suis rentrée à la maison.

— Oui.

Rosalind tourna la tête pour que sa sœur ne voie pas la tristesse qui avait envahi son visage.

— Et toi tu m'appelais le Beau Bébé Linotte, mais Skye et Jeanne m'appelaient Linotte la Banane.

— Et nous avons tous vécu très heureux. Maintenant, dors. Papa va monter dans un instant.

Rosalind tapota les couvertures, embrassa le front de Linotte et éteignit la lumière. En refermant la porte, elle entendit un gros bruit : Crapule avait sauté sur le lit. Elle soupira et se dirigea vers la chambre de Skye. C'était l'heure de la RAP.

— J'ai cru que tu n'arriverais jamais, dit Jeanne lorsqu'elle ouvrit la porte. Skye n'a rien voulu me révéler sur le sujet du jour. En plus elle s'est mis en tête de m'expliquer les nombres irrationnels, alors que je n'en aurai pas besoin avant la sixième !

— Tu n'iras pas loin dans la vie avec une attitude pareille, dit Skye.

— Ça suffit, Skye, fit Rosalind en s'asseyant à côté de Jeanne sur le lit du mardi-jeudi-samedi.

Skye était en face d'elles, sur le lit du lundi-mercredi-vendredi.

— En place pour la RAP ! déclara Rosalind.

— J'appuie la motion en deuxième position, renchérit Skye.

— Et moi en troisième, lança Jeanne, tout excitée, en faisant des bonds sur le lit.

— Nous jurons toutes de ne rien répéter de ce qui sera dit ici, même à papa, sauf si quelqu'un risque de faire quelque chose de très mal, récita Rosalind en jetant un regard insistant à Skye, qui l'ignora.

Rosalind serra le poing de sa main droite et le tendit vers ses sœurs. Skye posa le sien sur celui de Rosalind, et Jeanne sur celui de Skye.

— Je le jure, sur l'honneur de la famille Penderwick, déclamèrent-elles en chœur.

— OK, Skye, maintenant raconte ! s'écria Jeanne.

Skye se pencha vers elles.

— Je suis entrée dans les fameux jardins, chuchota-t-elle.

— Tu as convoqué une RAP pour ça ? demanda Jeanne. Il n'y a pas de quoi en faire un plat. Moi aussi je vais aller y faire un tour demain.

— Laisse-moi finir. J'ai rencontré Mme Tifton. Enfin, je l'ai entendue parler. Je n'ai pas vraiment pu faire sa connaissance, vu que j'étais cachée dans une urne.

— Oh, Skye, qu'est-ce que tu as encore fabriqué ? grommela Rosalind.

— Mais ce n'est pas ce dont je voulais vous parler. Il y a un garçon, là-bas, en plus de Thomas. Un garçon de mon âge.

— Ah ! fit Jeanne. Il y avait donc bien quelqu'un à la fenêtre.

— Quoi ?

— Tout à l'heure, quand on est arrivés en voiture, j'ai vu un garçon qui nous observait depuis une fenêtre du manoir. Je te l'ai dit.

— Tu as dit que tu l'avais imaginé, précisa Skye.

— Non, *tu* as dit que je l'avais imaginé. Moi, j'ai dit que ça m'étonnerait, et au final, j'avais raison, non ?

— Un de ces jours, Jeanne, tu vas me rendre dingue.

— Bon, Skye, tu lui as parlé ? demanda Rosalind.

— Oui.

Puis elle devint muette comme une carpe.

— Que s'est-il passé ?

— Rien.

— Skye !

— D'accord ! On s'est cognés et il est tombé dans les pommes ! Soudain il s'est réveillé et, comme j'ai cru que c'était un gamin du coin, je lui ai dit d'horribles choses sur Mme Tifton. Ça ne lui a pas plu. Ce n'était pas ma faute. Je venais de recevoir un coup sur la tête, alors j'étais peut-être un peu sonnée. Comment aurais-je pu deviner qui il était ? Jeanne, ma cinglée de sœur, ne distingue pas la réalité de l'imaginaire, et ni Harry aux tomates ni Thomas n'ont mentionné un quelconque fils.

— Un fils ?

— Ce garçon, Lucas, est le fils de Mme Tifton.

— Son fils ! s'écria Jeanne. Oh, mon Dieu !

— Bon, et ensuite ? Tu as arrangé les choses ? interrogea Rosalind.

— Non, elle l'appelait et il est parti.

— Tu dois lui présenter des excuses.

— Je ne peux pas. J'ai trop honte.

— Alors l'une de nous doit s'excuser à ta place, pour préserver l'honneur de la famille.

— Moi ! s'écria Jeanne.

— Non, pas toi ! protesta Skye. Tu vas encore raconter n'importe quoi sur Sabrina Starr et il va toutes nous prendre pour des tarées.

— C'est déjà ce qu'il doit penser après t'avoir rencontrée, répliqua Jeanne.

— S'il te plaît, Rosalind, fais-le, toi.

Rosalind regarda ses deux cadettes d'un air grave. Skye avait raison. On ne savait jamais de quoi Jeanne était capable quand son imagination prenait le dessus. D'un autre côté, il était peut-être temps qu'elle arrête de toujours réparer les bêtises de Skye.

— Je vote pour que Jeanne s'excuse auprès du garçon, dit-elle finalement.

— Deux votes contre un ! se réjouit Jeanne tandis que Skye se frappait le front, comme terrassée par une horrible migraine.

— Mais, continua Rosalind (ce qui lui valut un regard plein d'espoir de Skye), à partir de maintenant nous prendrons toutes les décisions ensemble. Pas d'envolées fantaisistes.

— Pas de fantaisie du tout, ajouta Skye.

— Promis, dit Jeanne.

— Et nous devons d'abord en parler à papa.

— On ne pourrait pas laisser de côté ce que j'ai dit sur Mme Tifton ? supplia Skye. Je te donnerai mon argent de poche de la semaine prochaine.

— La corruption est une pratique immorale, répondit sévèrement Rosalind.

— Moi, je veux bien de ton argent de poche, dit Jeanne.

— Et pourquoi donc… commença Skye.

— Du calme !

Rosalind tapa du poing sur le lit.

— Personne ne donnera son argent à personne. Skye, à toi de décider ce que tu veux dire à papa, à condition que tu lui parles avant que Jeanne n'aille là-bas.

— Merci, dit Skye.

— De rien. Maintenant, Jeanne, voici ce que tu vas dire à Lucas…

CHAPITRE 4

Les excuses

— **P**ourquoi est-ce qu'on ne lui achète pas un paquet de biscuits au supermarché ? demanda Skye en donnant des coups de cuillère en bois dans un saladier rempli de pâte.

Elle et Rosalind préparaient des biscuits pour Lucas dans la cuisine. Jeanne était partie quelques minutes plus tôt au manoir d'Arundel pour présenter ses excuses au jeune garçon, apaiser ses esprits et l'inviter à la maison pour une petite fête.

— Ne t'acharne pas sur la pâte. Mélange-la comme maman nous l'a appris, dit Rosalind.

— Je ne m'en souviens pas. Je me rappelle juste qu'elle nous chantait une chanson sur les petits copeaux de chocolat qui allaient au paradis des gâteaux et la fois où j'avais mis de la pâte dans les cheveux de Jeanne.

Rosalind lui prit le plat des mains, lui montra comment s'y prendre et le lui rendit.

— Tu sais que Jeanne va tout gâcher, dit Skye, dont la technique s'était très légèrement améliorée.

41

Lucas sera encore plus énervé et il nous détestera toutes, pas seulement moi.

— Jeanne s'en sortira très bien.

— Peut-être, mais de toute façon il n'acceptera pas ses excuses. Si quelqu'un avait dit ce genre de choses sur papa, je ne lui pardonnerais pas.

— Personne ne dirait du mal de papa.

Rosalind regarda par la fenêtre, car Crapule s'était mis à aboyer. Thomas venait de garer une camionnette devant la maison.

— Qu'est-ce que Thomas fait là, à ton avis ? Il y a une grosse plante dans son véhicule.

— C'est sûrement le rosier qu'il veut sauver. Thomas 1, Mme Tifton 0.

— Je vais aller voir s'il a besoin d'aide, dit Rosalind.

Elle ôta son tablier et se lissa les cheveux.

— Rosalind, attends ! Ne me laisse pas seule, je ne sais pas quoi faire ensuite.

— Dépose la pâte sur le papier sulfurisé avec une petite cuillère, et mets la plaque au four. Pas de panique, je reviens dans cinq minutes.

Elle s'esquiva par la porte d'entrée. Thomas grattouillait les oreilles de Crapule et essayait d'amener Linotte à le saluer. Quelques minutes plus tôt, celle-ci jouait avec Crapule en imitant une ballerine, mais elle s'était immobilisée, s'efforçant de devenir invisible.

— Bonjour, dit Rosalind.

— Rosalind, c'est ça ?

Elle hocha la tête, ravie qu'il s'en soit souvenu.

— Ta petite sœur ne veut pas me parler.

— Elle ne parle jamais aux inconnus. Elle attend d'avoir trouvé un intérêt commun avec eux.

— Que penses-tu des lapins ? lui chuchota Thomas.

— Elle adore les lapins, répondit Rosalind à voix basse.

— J'en ai deux chez moi.

— Oh, Linotte, Thomas a deux lapins ! s'exclama Rosalind.

Linotte écarquilla les yeux et en oublia d'être invisible.

— Passez les voir chez moi, un de ces jours. J'habite dans la remise, à côté du manoir.

Rosalind, soudain aussi intimidée que Linotte, se tourna vers la camionnette.

— Où vas-tu planter le rosier ?

— Là-bas, dans ce coin ensoleillé, près de la véranda.

— Je vais le chercher !

Rosalind sauta à l'arrière de la camionnette, prit la plante à bras-le-corps et hurla en sentant une dizaine d'épines s'enfoncer dans sa peau. En réalité, elle ne s'était jamais intéressée aux plantes. Elle avait bien essayé, pour faire plaisir à son père, mais au fond d'elle-même, elle ne voyait en elles qu'une chose qu'il fallait nourrir et choyer. N'empêche qu'elle aurait dû se souvenir que les roses avaient des épines. C'était elle qui avait l'esprit pratique, chez les Penderwick. Les pragmatiques, pensa-t-elle, ne deviennent pas stupides et tête en l'air en présence d'un charmant jeune homme. Plus le garçon est mignon, plus ton cerveau se ramollit, aurait dit son amie Anna.

— Ça m'arrive tout le temps, dit Thomas. Ça fait mal, hein ?

— Ce n'est pas méchant.

43

Thomas l'aida à descendre du véhicule et se chargea lui-même du rosier.

— Prends la pelle, dit-il, nous allons le planter ensemble.

Tandis que Rosalind luttait contre le rosier, Jeanne foulait d'un pas ferme l'allée menant au manoir d'Arundel. Pas question d'entrer en douce par le tunnel, avait dit Rosalind. Jeanne devait faire le tour et approcher à découvert.

— Bonjour, madame Tifton, récita-t-elle.

Elle répétait l'un des deux discours préparés la veille, lors de la RAP.

— Je suis Jeanne Penderwick, fille de Martin Penderwick, qui loue le pavillon d'Arundel. Pourrais-je parler à Lucas, s'il vous plaît ?

Elle espérait bien ne pas croiser Mme Tifton, cependant. Qui savait ce que le garçon lui avait dit ? Si ça se trouve, pensa-t-elle, elle a déjà pris les Penderwick en grippe. Elle passa au deuxième discours.

— Bonjour, Lucas. Je suis Jeanne Penderwick, désignée porte-parole officielle de Skye Penderwick, que tu as eu le malheur de rencontrer hier. Oups !

Skye avait juré de la tuer si elle ne supprimait pas ce détail sur le malheur de l'avoir rencontrée, mais Jeanne le trouvait si romantique qu'elle ne pouvait s'empêcher de le dire.

L'allée coupait la haie et continuait dans les jardins à la française. Le manoir apparut. Jeanne ralentit, reprenant nerveusement la tirade destinée à Lucas.

— Bonjour, Lucas. Je suis Jeanne Penderwick, élue porte-parole de Skye Penderwick, que tu as eu... que tu as rencontrée hier. Skye m'a demandé de t'exprimer ses regrets quant à… Oh, zut, c'est quoi, la suite ?

Elle se tenait désormais suffisamment près de la bâtisse pour apercevoir la fenêtre d'où Lucas les avait observés la veille. Elle avait espéré qu'il serait encore là, ainsi elle n'aurait eu qu'à lui faire signe de descendre. Mais il n'y avait personne. Elle allait devoir frapper à l'une des nombreuses portes. La veille, elles s'étaient longuement demandé laquelle sélectionner. La superbe porte en bois de chêne avait été écartée, car elles craignaient que Mme Tifton ne vienne l'ouvrir en personne. Mais cela leur laissait encore le choix : elles avaient remarqué trois ou quatre portes rien que sur les ailes devant lesquelles elles étaient passées. Finalement, Rosalind lui avait recommandé de frapper à la porte la plus ordinaire qu'elle pourrait trouver. Avec un peu de chance, la propriétaire ne s'abaisserait pas à l'ouvrir.

Jeanne entreprit donc de faire le tour du manoir. Enfin, à l'arrière, elle aperçut une porte verte toute simple, avec une sonnette en cuivre rutilante et un paillasson où l'on pouvait lire « BIENVENUE ».

— « Sabrina Starr passa les lieux en revue. Elle ne vit rien de dangereux. Était-ce un piège ? Peu importe le danger lorsqu'on doit accomplir sa mission ! »

Jeanne sonna.

— Un instant, répondit une voix féminine.

— Bonjour, madame Tifton, marmonna Jeanne dans sa barbe. Je suis Jeanne Penderwick, fille du pavillon d'Arundel. Non, oh, non, non, fille de Martin…

La porte s'ouvrit et une femme dodue aux cheveux gris coupés court baissa les yeux sur Jeanne. Ça ne peut pas être Mme Tifton, pensa-t-elle. Personne ne qualifierait cette femme de snob. Accueillante et chaleureuse, par contre, oui.

— Quel soulagement ! dit Jeanne.

Car si Sabrina Starr avait suffisamment de courage pour affronter ses adversaires, elle, elle préférait ne pas y être obligée.

— Qui es-tu ? demanda la femme, pas du tout déroutée par Sabrina Starr. Ce qui lui valut l'affection immédiate de Jeanne.

— Jeanne Penderwick.

— Du pavillon de vacances. Thomas m'a prévenue que ta famille était arrivée. Un professeur et plein de petites filles, m'a-t-il dit.

— Et Crapule.

— Ah, oui, le chien dont nous n'avons pas parlé à Mme Tifton.

— Elle n'aime pas les chiens ?

— Disons seulement que votre Crapule n'a pas l'air d'être son genre. Au fait, je suis Mme Churchill, la gouvernante, mais tout le monde m'appelle Churchie. Tu veux entrer ?

Ah, ça oui, elle aurait adoré entrer, d'autant plus qu'une odeur délicieuse s'échappait par la porte. Churchie lui offrirait peut-être un peu de ce qui sentait si bon, et elles auraient une agréable conversation sur les Tifton. Elle pourrait peut-être même visiter la demeure. Mais l'heure n'était pas aux frivolités. Jeanne avait une mission à mener à bien.

— Merci beaucoup, une autre fois, peut-être. Je dois parler à Lucas. Il est là ?

— Un moment, dit Churchie, avant de disparaître à l'intérieur.

46

Jeanne avait été trop concentrée sur ses discours pour se demander à quoi Lucas ressemblait. Skye ne l'avait pas décrit, et elle-même l'avait aperçu trop brièvement la veille pour s'en faire une idée. En revanche, elle savait exactement à quoi ressemblerait Arthur, le personnage de la nouvelle aventure de Sabrina Starr. Il aurait des yeux aussi dorés que ceux d'un lion, des boucles châtain foncé, et une expression triste mais noble, causée par des années de souffrance. Tous ceux qui le verraient l'aimeraient et chanteraient ses louanges, comme…

— Salut, dit une voix.

Jeanne ouvrit subitement les yeux. (Elle les avait fermés pour mieux imaginer Arthur.) Un garçon en chair et en os se tenait devant elle. Il n'avait ni les yeux dorés ni les cheveux châtains, mais Jeanne ne trouva rien à redire à ses cheveux bruns et à ses yeux verts. S'il avait trop de taches de rousseur pour mériter le qualificatif de noble, elle sut immédiatement qu'il n'était pas du genre à tout raconter à sa mère.

— Comment va ta tête ? demanda-t-elle.

Il se pencha un peu pour qu'elle puisse mieux voir le bleu violet sur son front.

— Ça va. Churchie a mis de la glace dessus quand je suis rentré.

— Tant mieux.

Elle lui fit un grand sourire, puis se reprit. Elle n'avait toujours pas fait son boulot.

— Je dois te faire un discours.

— Tu es sûre que tu ne veux pas entrer, Jeanne ? demanda Churchie en réapparaissant derrière Lucas.

— Elle veut faire un discours, expliqua-t-il.

47

— Grands dieux !

— Vous pouvez l'écouter si vous voulez, proposa Jeanne.

— Comment pourrais-je manquer ça ?

Jeanne s'éclaircit la gorge, se redressa, croisa les mains dans le dos, et commença :

— Bonjour, Lucas. Je suis Jeanne Penderwick, désignée porte-parole officielle de Skye Penderwick, que tu as rencontrée hier. Skye m'a demandé de t'exprimer ses regrets pour t'être rentrée dedans et pour sa conduite grossière. Elle espère que tu lui pardonneras et que tu ne prendras pas cette affaire trop à cœur. Fin, conclut-elle en s'inclinant.

Churchie applaudit.

— On ne vient pas souvent nous faire des discours, par ici. Celui-là était très réussi. Qu'en penses-tu, Lucas ?

— C'est vrai, dit-il. Excuses acceptées.

— Déjà ? demanda Jeanne. Je pensais que tu serais dur à convaincre, alors j'avais préparé d'autres arguments. Par exemple, que Skye dit toujours ce qu'il ne faut pas, et pas spécialement à toi. Et qu'elle peut se montrer très gentille, parfois, quand on la connaît bien. Ensuite, je t'aurais demandé d'avoir pitié de fillettes orphelines de mère, élevées sans une douce présence féminine. Ça ne compte pas vraiment, car notre père est très doux, mais je trouvais que ça sonnait bien. J'en ai d'autres sous la main, si tout ça ne suffit pas.

— Tu peux arrêter, dit Lucas. C'était très bien.

— Oui, très joliment formulé, renchérit Churchie.

— Merci !

Jeanne n'avait pas été aussi fière d'elle depuis le discours qu'elle avait prononcé pour l'inauguration de la nouvelle cour de récréation de l'école primaire de Wildwood. Et ce n'était qu'un début, car Lucas accepta de l'accompagner au pavillon pour déguster les biscuits au chocolat faits maison. Elle avait réussi ! Elle avait guéri l'orgueil blessé d'un ancien ennemi qu'elle s'apprêtait à remettre au camp Penderwick ! Même Rosalind n'aurait pas fait mieux.

Elle dit au revoir à Churchie, et les deux enfants partirent en parlant à toute vitesse. En effet, à la grande joie de Jeanne, Lucas semblait aussi bavard qu'elle. Elle en profita pour faire des recherches pour son livre. Elle avait eu du mal à savoir de quoi Arthur pourrait bien parler, en plus de son emprisonnement et de ses malheurs, deux thèmes qui risquaient vite de devenir lassants. Il s'avéra que Lucas discutait de tout et de rien. Il confia à Jeanne qu'il les avait vus arriver par sa fenêtre, la veille, mais que sa mère l'avait appelé juste au moment où elles étaient remontées dans la voiture – ce qui expliquait sa soudaine disparition. Jeanne lui raconta que Crapule avait vomi dans l'allée et que Thomas avait été adorable. Lucas lui dit que Thomas était toujours adorable et faisait plein de choses pour lui. C'était lui qui avait creusé le tunnel dans la haie pour que Lucas puisse s'enfuir lors des visites des dames du Club de jardinage. Il lui avait même offert un iguane appelé Darwin, mais comme il donnait de l'urticaire à sa mère, il avait dû le confier à la fille de Churchie qui vivait à Boston. Jeanne lui parla des autres Penderwick, de Rosalind, la plus jolie, de Skye, la plus intelligente, et de Linotte, la plus petite. Lucas, lui, était fils unique, et il lui arrivait de se sentir seul. Jeanne le rassura :

— Au moins tu ne seras pas seul pendant les trois prochaines semaines, parce que nous serons là.

— Tant mieux, répondit-il.

Finalement, Jeanne lui dit de se dépêcher : les biscuits devaient être prêts et tout le monde l'attendait avec impatience.

Rosalind n'étant pas revenue cinq minutes plus tard, comme elle l'avait promis, Skye dut se débrouiller toute seule avec les biscuits. Elle finit de mélanger la pâte, la déposa en petits tas sur le papier sulfurisé, enfourna la plaque, puis tourna le bouton du gril. Elle n'avait plus qu'à attendre l'arrivée de Lucas. Elle monta dans sa belle chambre toute blanche, ouvrit son livre de maths et les biscuits lui sortirent complètement de la tête… si bien que lorsque de la fumée commença à sortir du four, personne ne le remarqua.

M. Penderwick lisait un livre sur les fleurs sauvages dans sa chambre depuis la fin du petit déjeuner. Jeanne et Lucas étaient en route pour le pavillon. Rosalind jardinait avec Thomas. Linotte et Crapule jouaient aux astronautes lunaires dans l'enclos. Skye ? Elle travaillait.

— Un immeuble projette une ombre de 20 mètres, et un arbre de 5 mètres projette une ombre de 4 mètres. Quelle est la hauteur de l'immeuble ? Bon, si x est la hauteur de l'arbre, alors x sur 20 égale… (Elle se mit à gribouiller avec enthousiasme dans son livre.) Ce qui veut dire que x égale 100 divisé par 4, soit 25.

Facile. Aucun problème. Je suis la meilleure. Suivant. Quatre litres de crème glacée…

Elle continua de résoudre problème sur problème, pendant qu'en bas, une fumée de plus en plus épaisse s'échappait du four. Même l'aboiement lointain de Crapule, qui disait « Danger ! danger ! danger ! », ne parvint pas à briser sa concentration. Elle ne releva les yeux qu'en entendant des portes claquer et du remue-ménage au rez-de-chaussée. D'où venait cette drôle d'odeur ? Elle descendit l'escalier en courant.

Un spectacle stupéfiant l'attendait : Rosalind sortait la plaque de biscuits calcinés du four, Thomas avait un tuyau d'arrosage à la main, Linotte et Crapule jouaient aux pompiers autour de la table et il y avait de la fumée partout.

— Que s'est-il passé ? demanda-t-elle.

— Tu as laissé brûler les biscuits et tu as failli mettre le feu à la maison, voilà ce qui s'est passé, répondit Rosalind en toussant. Qu'est-ce qui t'a pris d'allumer le gril ? À quoi pensais-tu ?

Skye ne faisait pas la différence entre un gril, une casserole et un rouleau à pâtisserie, mais elle était trop mortifiée pour l'admettre devant Thomas. Elle prit son expression la plus têtue.

— Je ne pensais à rien.

— Ah oui, ça je n'en doute pas. Je n'aurais pas cru que tu étais si débile !

Rosalind était allée trop loin. Skye le savait, et à voir l'expression du visage de Rosalind, celle-ci s'en rendait compte. Skye comprit que sa sœur s'apprêtait à s'excuser, mais c'était trop tard. Elle se mit en colère.

— Tu avais promis de revenir m'aider et tu ne

l'as pas fait, alors c'est autant ta faute que la mienne. D'ailleurs, ce n'était pas mon idée de faire ces biscuits pourris, mais la tienne et celle de Jeanne. Moi je ne ferais jamais de cuisine pour un garçon, surtout pas un prétentieux plein de fric avec une mère complètement snob !

Soudain, le silence s'installa dans la pièce. Plus personne ne regardait Skye. Tout le monde avait les yeux dirigés vers la porte. Skye se retourna lentement et vit ce qu'elle redoutait le plus : Jeanne et Lucas qui les fixaient sur le seuil. Lucas arborait de nouveau une pâleur mortelle.

— Oh, non, soupira Skye.

Elle aurait préféré se trouver sous les ruines de la maison carbonisée.

À ce moment-là, M. Penderwick entra dans la pièce.

— Mon Dieu ! dit-il joyeusement. Y aurait-il eu un accident ? Bonjour, Thomas. Joli travail, avec ce tuyau. Et voici Lucas Tifton, je suppose ? Bonjour, mon garçon, je suis ravi de faire ta connaissance.

CHAPITRE 5

Un nouveau héros

M. Penderwick croyait au pouvoir des longues promenades. « Va te promener, disait-il souvent, ça t'éclaircira les idées. » Skye supposait que c'était la raison pour laquelle il l'avait envoyée faire un tour avec Jeanne, Lucas et Linotte tandis que lui et Rosalind aéraient la cuisine. Skye pourrait se calmer, et cela permettrait peut-être de détendre l'atmosphère entre elle et Lucas. Elle s'était pourtant déjà excusée de l'avoir traité de prétentieux plein de fric, et Lucas lui avait assuré que c'était oublié, mais ils en étaient restés là, en termes de conversation. Depuis, ils s'étaient à peine regardés.

Alors elle traînait avec Linotte derrière Lucas et Jeanne, les écoutant papoter comme de vieux amis. Il y avait de quoi vous rendre malade. Évidemment, elle n'était pas jalouse et se moquait bien qu'on fasse ou pas attention à elle. N'empêche qu'elle n'aimait pas perdre son temps avec des gens qui parlaient de choses ennuyeuses à mourir.

Lucas voulait leur montrer quelque chose d'étonnant, d'après ce qu'il avait dit à Jeanne. Ils firent le tour du pavillon et partirent dans la direction opposée à la haie, en direction du haut mur de pierre qui marquait la limite de la propriété. Une fois arrivés au mur, ils tournèrent à gauche et le longèrent sur une centaine de mètres jusqu'à une barrière en bois, où Lucas les fit s'arrêter. La barrière était presque aussi haute que le mur et ils ne pouvaient pas voir derrière, mais il y avait des trous dans le bois. Lucas demanda à Jeanne de regarder à travers.

— C'est juste un champ.

— Normalement il y a un taureau.

— Non, pas de taureau.

— Laisse-moi jeter un coup d'œil.

Jeanne se poussa.

— Tu as raison, je ne vois rien non plus. Il doit être dans la grange, aujourd'hui.

Skye tapa du pied avec impatience. Je suis sûre que ce taureau n'existe pas, pensa-t-elle. Ce garçon voulait seulement impressionner Jeanne.

— Il a déjà encorné un homme dans ce champ, dit Lucas en regardant Jeanne.

— Oh ! Est-ce qu'il l'a tué ?

— Presque, répondit-il. (S'il entendit le reniflement méprisant de Skye, il n'en laissa rien paraître.) Thomas m'a tout raconté. Les boyaux du type sont sortis de son ventre et il a fallu trois médecins pour le recoudre. Des gens ont même signé une pétition pour que le taureau soit abattu, mais la police a affirmé que c'était la faute de l'homme qui était entré dans le champ sans permission.

— Même si ce pauvre homme n'a pas eu de chance, commenta Jeanne, ç'aurait été affreux qu'ils tuent l'animal.

— En plus, d'après Thomas, ce taureau est plus bête que méchant. Et c'est mal de tuer quelqu'un parce qu'il n'est pas intelligent.

— Il se cache peut-être dans un coin, dit Jeanne en regardant de nouveau par le trou, trop petit pour leur offrir une vue d'ensemble.

— Il y a une échelle contre le mur un peu plus loin, dit Lucas. On pourrait grimper dessus pour voir par-dessus le mur.

Il se tourna vers Skye.

— Tu veux venir ?

Non, elle n'en avait pas envie, mais comme elle crut qu'il ne voulait pas qu'elle vienne, elle répondit oui.

Et ils repartirent, Jeanne et Lucas sans cesser de bavarder, et Skye à la traîne, se maudissant d'avoir mis les pieds dans ce fichu tunnel et d'avoir foncé dans cet imbécile.

Ne t'éloigne pas de tes sœurs, lui avait dit Rosalind. Au début, Linotte les avait suivis de près. Cependant, lorsqu'ils s'étaient arrêtés à la barrière, elle était allée se cacher derrière un buisson, pour échapper à Lucas qui l'avait interrogée plusieurs fois sur Crapule. Rien ne l'intimidait tant que les questions. Mais surtout, elle voulait fuir Skye, dont l'expression semblait dire : « Laisse-moi tranquille ou je te casse le bras. » Tout cela ne l'aurait pas dérangée si Crapule l'avait accompagnée, mais il aurait fallu lui mettre sa laisse, or il prenait toujours ça pour une invitation à jouer au tir à la corde.

Elle sortit la tête de derrière son buisson : Lucas et ses sœurs s'en allaient. Elle savait qu'elle aurait dû les suivre, mais elle voulait d'abord voir ce qui se trouvait derrière la barrière. De sa place, elle n'avait pas entendu l'histoire du taureau tueur. Elle quitta discrètement sa cachette et appuya son œil contre le trou.

Elle vit un champ rempli de trèfle et de pâquerettes, avec une grange dans un coin. Linotte était une spécialiste des chevaux et connaissait bien leurs besoins. Il y avait un haras près de chez eux, à Cameron, et M. Penderwick l'emmenait souvent donner des carottes à ses deux chevaux préférés, Eleanor et Franklin. Elle savait donc reconnaître un champ à chevaux lorsqu'elle en voyait un. Et même si elle n'apercevait aucun animal pour l'instant, ça ne voulait rien dire. Ils se cachaient probablement. Les chevaux aussi étaient timides, parfois.

La barrière était fermée et trop haute pour qu'elle puisse l'escalader. Néanmoins, elle pouvait se glisser dessous. Elle enroula avec soin ses ailes autour de ses épaules, se mit à quatre pattes et passa de l'autre côté.

Hélas, il n'y avait aucun cheval, timide ou pas. Linotte eut beau regarder de tous les côtés, elle était seule dans le champ. Oh, tant pis, elle allait cueillir des pâquerettes et les ramener à Rosalind pour qu'elle lui fasse un collier. Elle s'attela tranquillement à sa tâche.

Le calme régnait. Elle fredonnait une chanson sur des kangourous. Au-dessus d'elle, des oiseaux tournoyaient joyeusement dans le ciel. Dans l'herbe, de petits insectes avançaient gaiement. La brise d'été secouait doucement le trèfle et les fleurs. Mais cette paix fut de courte durée. À l'autre bout du champ, la porte de la grange s'ouvrit à la volée. Et il apparut, noir, énorme et fort. Le roi du champ, le taureau, sortit nonchalamment au soleil et examina fièrement son domaine.

Skye restait aussi loin de Lucas et de Jeanne que possible. Lorsqu'elle prit enfin la peine de les rejoindre, Jeanne avait déjà gravi la moitié de l'échelle.

— Linotte n'est pas avec toi ? demanda celle-ci.

Skye avait complètement oublié sa petite sœur, mais elle ne l'aurait admis pour rien au monde. La tâche de surveiller Linotte revenait toujours à la SPPA, la Sœur Penderwick la Plus Âgée, et en l'absence de Rosalind, c'était Skye.

— Elle s'est cachée derrière un buisson quand on était à la barrière, dit Lucas.

Le voilà reparti à faire son malin, pensa Skye, qui, elle, n'avait rien remarqué.

— Peut-être que je pourrai la repérer de là-haut, dit Jeanne en se hissant sur le mur. Je peux me mettre debout, c'est suffisamment large.

— Sois prudente, dit Lucas, ne tombe pas.

— Je ne la vois pas, constata Jeanne en regardant du côté de la maison.

— Elle est sans doute retournée voir Crapule, dit Skye.

Elle l'espérait. Aussi pénible que soit Linotte, elle ne rêvait pas non plus de la perdre.

— Peut-être, dit Jeanne, dubitative.

— Je vais partir à sa recherche, dit Lucas.

— Je viens avec toi, décida Jeanne. Mais je veux d'abord voir ce taureau. Oh, le voilà ! Il vient sans doute de sortir de la grange.

— Il est gros, pas vrai ?

— Énorme !

Alors, comme ça, le taureau existe, pensa Skye. Mais elle doutait qu'il soit aussi terrifiant que le prétendaient ces deux-là. Ce n'était sûrement qu'un tout petit taureau, voire une vieille vache obèse. Elle voulait en juger par elle-même, mais Lucas se tenait devant l'échelle et elle aurait préféré mourir que de lui demander de se pousser.

— Monte, fit Lucas en s'écartant.

— Après toi, dit-elle.

Il n'allait pas l'avoir avec sa politesse à la noix.

C'est alors que Jeanne se mit à hurler.

Linotte observait un insecte violet et orange lorsque Jeanne hurla. L'insecte était tombé d'une fleur et elle s'était mise à plat ventre pour s'assurer qu'il était sain et sauf. Elle reconnut la voix de sa sœur, mais comme Jeanne avait l'habitude de crier – bien plus souvent que Skye, par exemple –, elle ne s'en inquiéta pas. Néanmoins, elle releva les yeux.

Un taureau est tellement plus gros qu'un insecte que, sur le coup, Linotte ne comprit pas ce qu'elle avait devant elle. Elle regarda à nouveau la bestiole qui gravissait paisiblement une autre pâquerette, puis releva les yeux une seconde fois, espérant que le monstre noir aurait disparu. Non seulement il était encore là, mais il avait fait un pas en avant. Il se trouvait à moins de cinq mètres d'elle.

— Gentil petit cheval, dit Linotte avec espoir.

En réalité, ce taureau n'avait jamais encorné personne. Un touriste avait effectivement pénétré dans son champ, et il avait laissé tomber son appareil photo haut de gamme devant l'animal, qui, comme il se doit, l'avait piétiné et réduit en miettes. Mais cette histoire manquait de sensationnel. La première personne à la raconter avait ajouté que le taureau avait éraflé la jambe du touriste, et la deuxième avait transformé l'éraflure en une blessure sanglante, et ainsi de suite. Si bien que lorsque Thomas avait parlé de cet épisode à Lucas, le pauvre touriste avait carrément été éventré. Quand Lucas, à son tour, l'avait contée à Jeanne, il avait à peine exagéré : il avait juste changé le nombre de médecins, passé de un à trois. Quoi qu'il en soit, monstre sanguinaire ou pas, le taureau n'était pas sociable, et il n'appréciait pas du tout qu'une inconnue s'allonge en plein milieu de son carré de pâquerettes favori. On peut aussi supposer que le terme de « petit cheval » lui parut insultant, car il se mit à secouer les cornes et à taper du pied.

Linotte savait bien qu'il ne s'agissait pas d'un cheval, tout comme elle sut soudain qu'elle n'aurait jamais dû passer seule sous cette barrière, ni désobéir à Rosalind. Elle se promit qu'elle serait gentille et obéissante pour le restant de ses jours si cette bête horrible gardait ses distances. Elle n'avait qu'à rester aussi immobile que possible en priant pour que Crapule soit là, avec son papa. Oh, papa ! Oh, Crapule ! Oh, pitié, que quelqu'un vienne m'aider !

À son grand soulagement, les secours étaient en route, déduisit-elle aux bruits que faisait Jeanne en courant à une vitesse olympique sur le mur en direction de la barrière. Ce n'était pas exactement des hurlements, ni même des cris, mais plutôt le bruit que ferait un camion de pompier s'il essayait de parler. Linotte ne distingua ses paroles que lorsque Jeanne atteignit la barrière :

— TAUREAU ! TAUREAU ! PAR ICI ! PAR ICI ! LAISSE-LA TRANQUILLE !!!

Le taureau se tourna brusquement vers le mur et Linotte osa enfin lever les yeux vers sa sœur, qui sautillait et gesticulait comme si elle dirigeait la circulation.

— OUI, C'EST ÇA, ESPÈCE DE VIEUX TAUREAU MALVEILLANT, CHOISIS UN ADVERSAIRE À TA TAILLE !

Puis Linotte entendit du bruit provenant de l'autre côté de la barrière. L'arrivée des renforts, espéra-t-elle, même si cela ressemblait plus à une dispute entre Skye et Lucas. Un moment plus tard, cependant, Lucas se glissa sous la barrière, Skye sur les talons.

— NE BOUGE PAS, LINOTTE, LES SECOURS ARRIVENT ! hurla Jeanne.

Skye et Lucas se mirent à courir dans le champ, puis se séparèrent. Skye se dirigeait vers Linotte. Lucas, lui, fonçait droit sur le taureau.

— C'EST ÇA, C'EST ÇA ! VIENS VERS MOI, TAUREAU !

Pauvre bête. Elle qui n'avait rien demandé d'autre que de mâchouiller quelques pâquerettes au soleil. Voilà que son paradis privé était envahi par des créatures agitées et extrêmement bruyantes. C'en était trop pour son petit cerveau. Elle regarda tour à tour Jeanne, Lucas et Skye puis reposa les yeux sur Linotte, ayant visiblement décidé qui éliminer en premier : la personne la plus proche d'elle, celle qui avait eu l'audace de ramasser ses pâquerettes. Elle baissa la tête et avança lourdement dans sa direction.

Linotte s'aplatit comme une crêpe et ferma les yeux en se demandant si elle aurait très mal. Soudain, elle sentit qu'on la soulevait de terre et elle se retrouva posée sur une épaule comme un sac de farine. Elle ouvrit les yeux. C'était Skye ! Skye avait été plus rapide que le taureau !

Lucas s'était remis à hurler.

— PRENDS ÇA ! ET ÇA !

Lucas essayait d'attirer l'attention de l'animal en lui lançant des cailloux sur l'arrière-train. Et ça marchait. Le taureau ne pouvait tolérer un tel affront, aussi indolore soit-il. Il fit volte-face pour affronter son nouvel ennemi.

— MAINTENANT, SKYE, COURS ! hurla Jeanne depuis le mur.

Linotte sur l'épaule, Skye partit au pas de course, tandis que le taureau raclait le sol et montrait ses énormes cornes à Lucas : il allait charger !

Linotte n'aurait jamais imaginé qu'un tel individu puisse exister en dehors de sa famille. Elle avait toujours considéré son père et Rosalind comme ses héros, et cela lui suffisait. Mais alors qu'elle était bringuebalée sur l'épaule de Skye dans cette folle cavalcade, un nouveau héros entra dans sa vie. Lucas manœuvrait ce taureau comme un véritable toréador. Il s'élançait, esquivait les attaques, tournait sur lui-même, sautait, et tout ça en s'éloignant de Skye et Linotte. Le taureau le suivait, essayant désespérément de se débarrasser de cet intrus exaspérant.

Boum ! Skye jeta Linotte à terre, la poussa sous la barrière puis sortit à son tour. À ce moment-là, Jeanne se mit à hurler :

— TOUT LE MONDE EST À L'ABRI, LUCAS ! SAUVE TA PEAU !

Dans le champ, la course finale débuta. Skye se releva à toute vitesse et colla son œil contre le trou de la barrière. Linotte, toujours à plat ventre, regarda par en dessous. Jeanne n'avait pas quitté son perchoir. Terrifiées, elles virent Lucas se précipiter vers elles, le taureau à ses trousses.

— OH, DÉPÊCHE-TOI, LUCAS, COURS ! COURS ! s'écrièrent leurs trois voix perçantes.

Trois mètres, deux mètres, un mètre.

En un clin d'œil, Lucas se jeta au sol, passa sous la barrière, et se releva. Lui et Skye attrapèrent chacun un bras de Linotte et la soulevèrent tandis que Jeanne sautait du mur.

— On dégage ! dit Lucas, et ils partirent juste au moment où le taureau enfonçait ses grandes cornes dans le bois.

La barrière trembla sur ses gonds et la bête poussa un beuglement furieux, mais les enfants ne se retournèrent pas : ils ne voulaient plus jamais revoir cet endroit.

Ils ne s'arrêtèrent de courir qu'après plusieurs minutes et s'effondrèrent par terre, hors d'haleine, sous un grand pin. Pendant un long moment, ils ne dirent rien, trop occupés à reprendre leur souffle et à s'assurer qu'il ne leur manquait aucun membre.

Linotte, imprudemment, fut la première à rompre le silence.

— J'ai oublié mes pâquerettes dans le champ.

Skye se releva, le visage furieux.

— Ne la tue pas maintenant, pas après tous les efforts que j'ai faits pour la sauver, intervint Lucas.

— Linotte, de toutes les stupidités que tu as proférées, celle-là est de loin la pire.

— Qu'est-ce qui t'a pris d'entrer dans ce champ ? demanda Jeanne.

— Je pensais qu'il y aurait des chevaux, expliqua Linotte en examinant ses ailes qui s'étaient déchirées lorsque Skye l'avait poussée sous la barrière.

— Eh bien, il n'y en avait pas, espèce d'idiote. Tu as failli nous faire tuer, dit Skye.

— On y serait toutes passées, sans Lucas, déclara Jeanne.

Le garçon rougit et baissa les yeux.

— Lucas, tu es un véritable héros.

— Arrête, Jeanne, c'est à moi de le remercier, je suis la SPPA, dit Skye.

Elle se tourna vers Lucas, qui concentra son attention sur le sol.

— Je te remercie de la part de toute la famille Penderwick. Et cela, même si je t'ai donné un coup de pied quand tu es passé sous la barrière avant moi, et même si je pense que j'aurais été tout aussi capable que toi de m'occuper du taureau...

— Skye ! s'écria Jeanne.

— Tu as été courageux et rusé, et tu as sauvé la vie de Linotte, reprit Skye, avant de prendre une profonde inspiration. Je m'excuse de mon comportement imbécile, et cette fois mes excuses sont sincères. C'est Jeanne et Rosalind qui avaient écrit les premières.

Elle tendit la main. Lucas releva les yeux, et ils se serrèrent la main.

— « Après avoir failli perdre un être cher, les deux ennemis mirent leur cœur à nu et firent la paix », déclara Jeanne.

— Moi aussi je veux lui serrer la main, dit Linotte.

Lucas s'exécuta, avant de se tourner vers Jeanne, pour faire bonne mesure.

Soudain, un craquement derrière un tronc d'arbre les fit sursauter.

— Sans doute un écureuil, dit Lucas.

— Juste comme ça, vous pensez que le taureau aurait pu défoncer cette barrière ? demanda Jeanne.

— Non, répondit Skye, qui interrogea tout de même Lucas du regard.

— Non, confirma-t-il d'une voix assurée.

— Papa devrait peut-être aller vérifier, dit Linotte.

— Linotte, non ! Tu ne dois pas parler du taureau à papa. Et à Rosalind non plus.

— Pourquoi ?

— Parce qu'ils penseraient que Jeanne et moi ne t'avons pas bien surveillée.

— Ils auraient raison.

— Promets que tu ne diras rien, supplia Jeanne.

— On peut le promettre sur l'honneur de la famille Penderwick ? demanda Linotte.

— On ne fait ça qu'en famille, tu sais bien, expliqua Skye en regardant discrètement Lucas.

Depuis que Rosalind et Skye avaient inventé cette cérémonie, après avoir lu un livre sur une certaine famille Bastable, seules les sœurs Penderwick y avaient participé.

— Ce n'est pas grave, je vais vous laisser, dit Lucas.

— Il peut rester, proposa Linotte, il m'a sauvé la vie. C'est un Penderwick honoré.

— Honoraire, la corrigea Jeanne.

— Qu'en penses-tu ? demanda Skye à Jeanne.

— Qu'en penserait Rosalind ? enchaîna Jeanne.

— Vu les circonstances, je pense qu'elle serait d'accord, dit lentement Skye. Très bien, Lucas, tu peux rester et nous regarder, mais tu dois promettre de ne rien dire à personne, pas même à Thomas.

— D'accord.

— Non, non, tu dois le jurer solennellement, dit Jeanne.

— Je jure solennellement de ne parler à personne de ce que vous vous apprêtez à faire.

— Ça ira, dit Skye en tendant le poing. Nous, les trois sœurs Penderwick cadettes, ne parlerons jamais à papa ou à Rosalind de Linotte et du taureau. Nous inventerons une histoire crédible pour expliquer l'état des ailes de Linotte, et même si ce n'est pas la stricte vérité, ce ne sera pas non plus un terrible mensonge, car Linotte a retenu la leçon et ne retournera jamais dans ce champ. N'est-ce pas, Linotte ?

— Oui.

— OK, j'ai terminé.

Jeanne posa le poing sur celui de Skye, et Linotte posa le sien sur celui de Jeanne.

— Je le jure, sur l'honneur de la famille Penderwick !

Soudain, un autre craquement se fit entendre, et les enfants surent immédiatement qu'un écureuil ne pouvait pas faire autant de bruit. Une fois de plus, Linotte se retrouva balancée sur une épaule (celle de Lucas, cette fois), et tout le monde déguerpit. En quelques secondes, il n'y eut plus personne sous le pin.

Si bien que personne ne vit le gros, le noir, le terrifiant – bon, peut-être pas terrifiant – chien qui arriva une minute plus tard. M. Penderwick avait surestimé le loquet de l'enclos : il ne résistait pas aux chiens, ou du moins pas à Crapule. Lorsque le taureau pourchassait Linotte, il avait senti le danger grâce à son sixième sens et s'était fait la malle.

Mais où donc était passée Linotte ? Crapule renifla autour du pin, perplexe. Elle était venue ici. Il releva le museau et – aha ! – retrouva son odeur. Soulagé, le fidèle Crapule repartit à sa recherche en trottinant.

CHAPITRE 6

Des lapins et une longue échelle

Le lendemain, après le petit déjeuner, Linotte ramena Crapule dans son enclos pour lui raconter son aventure avec le taureau. Comme il l'avait déjà écoutée au moins quatre fois la veille, il l'ignora et tenta de nouveau de soulever le loquet. Mais M. Penderwick l'avait réparé après son échappée. Il était piégé.

Linotte venait d'arriver au passage où Lucas avait hurlé « Ouais ! ouais ! » lorsque celui-ci fit son apparition.

— Hé, Linotte ! Tu avais juré de ne parler de ça à personne.

Linotte courut soulever le loquet pour le laisser entrer dans l'enclos. Lucas sortit un morceau de saucisse froide de sa poche et l'offrit au chien.

— Crapule ne compte pas. Je lui raconte tout.

— Comment Skye a-t-elle expliqué les trous dans tes ailes ?

— Elle a dit que je m'étais prise dans des ronces et que vous les aviez déchirées en voulant m'en sortir. Rosalind les a recousues.

Lucas examina le tissu reprisé avec soin.

— Elle a fait du bon travail.

— Comme toujours. Elle s'occupe de moi parce que maman est morte quand j'étais bébé.

— Elle te manque ?

— Non, parce que je ne me souviens pas d'elle. Elle manque beaucoup à Rosalind. Parfois, ma sœur pleure dans son sommeil. Ne raconte à personne que je t'ai dit ça. Maintenant c'est ton tour de me confier un secret.

Lucas se pencha vers son oreille.

— J'ai vraiment eu peur de ce taureau, hier, murmura-t-il. Toi non plus, ne le répète pas.

— D'accord, fit Linotte.

Et ils se serrèrent la main.

Rosalind sortit du pavillon et s'approcha de l'enclos.

— Bonjour, Lucas. Merci d'avoir aidé Linotte à se sortir des ronces hier.

— Il n'y a pas de quoi, répondit-il en jetant un regard en biais à Linotte.

— Thomas nous a invitées à passer voir ses lapins ce matin, annonça Rosalind.

— Et il a dit qu'il ne fallait pas trop de monde, pour ne pas les effrayer, alors Skye et Jeanne n'ont pas le droit de venir, na-na-nère ! se réjouit Linotte.

— Ça suffit, Linotte. Bon, c'est l'heure d'y aller.

— Assis, Crapule, dis au revoir, ordonna Linotte dans sa plus belle imitation de Skye quand elle voulait se montrer autoritaire. (Crapule roula sur le dos.) Crapule ! Tu m'as très bien entendue !

Il aboya et remua les pattes en l'air, jusqu'à ce que Rosalind force sa sœur à sortir de l'enclos.

— Au revoir, Lucas. On doit y aller. Il ne faut pas faire attendre Thomas.

Plus tôt dans la matinée, Thomas était venu arroser le rosier. Au même moment, Rosalind était sortie pour remplir la gamelle de Crapule. C'est du moins ce qu'elle avait prétendu. En réalité, elle avait voulu s'excuser du brouhaha de la veille. Elle ne tenait pas à ce que les gens pensent que les Penderwick passaient leur temps à incendier des bâtiments et à se dire des méchancetés. Thomas s'était contenté de rire et lui avait raconté qu'à neuf ans lui et son frère avaient mis le feu au camion de leur oncle avec une allumette, et qu'ils avaient essayé de mettre ça sur le dos de leur sœur. Rosalind lui avait été reconnaissante d'essayer de dédramatiser les choses, et elle avait remarqué pour la première fois, ce qui l'avait étonnée, qu'elle trouvait les casquettes de base-ball très seyantes. Puis Linotte était sortie à son tour et Thomas lui avait demandé si elle aimerait rencontrer ses lapins. La petite fille avait réussi à rester visible le temps de lui répondre oui. Dans ce cas, rendez-vous à dix heures dans mon appartement, avait dit Thomas.

Son appartement ! Rosalind n'avait jamais été dans l'appartement d'un jeune homme. Elle se demanda de quoi il aurait l'air. Anna, qui avait deux frères à l'université, disait que tous les garçons étaient des porcs, que c'était inscrit dans leurs gènes. Rosalind en doutait. Elle avait du mal à imaginer son père éparpillant des chips dans ses tiroirs à sous-vêtements et des miettes de pizza dans son lit, même quand il était jeune.

Elles arrivèrent à la remise pile à l'heure et trouvèrent la porte grillagée que Thomas leur avait décrite.

Juste à côté, il avait cloué un panneau qui disait :
« ATTENTION AUX ATTAQUES DE LAPIN ! »

— Nous y voilà, dit Rosalind.

Mais quand elle se retourna, Linotte avait disparu. Elle la trouva cachée derrière un gros tonneau couronné de géraniums.

— J'ai changé d'avis.

— Oh, ma puce, il ne faut pas avoir peur de Thomas.

— Si.

— Il a déjà parlé de toi aux lapins. Imagine comme ils vont être déçus s'ils ne te voient pas.

— Dis-leur que je viendrai une autre fois.

— Ils t'attendent maintenant.

Linotte connaissait bien la déception, comme celle qu'elle avait ressentie le jour où Skye lui avait promis de jouer à Peter Pan avec elle, et qu'elle avait oublié. Elle sortit lentement de sa cachette et rejoignit Rosalind qui frappait à la porte.

— Entrez ! Refermez bien la porte derrière vous, répondit la voix de Thomas.

Rosalind fut soulagée d'entrer dans une pièce propre et agréable. Une porte donnait sur une jolie petite cuisine. Elle emmagasina autant de détails que possible pour sa future lettre à Anna : un canapé vert en tissu écossais, une pile de livres sur la guerre de Sécession, une demi- douzaine de casquettes alignées sur un portemanteau, une photo encadrée de Thomas en train de jouer au basket.

Thomas sortit de la cuisine avec un bouquet de persil frais. S'il fut décontenancé par les ailes de Linotte qui jaillissaient derrière les jambes de Rosalind, il n'en montra rien.

— Yann et Carla sont sous le canapé. Le persil va attirer Yann, mais ne vous étonnez pas si Carla reste là-dessous. Elle est très timide.

Rosalind entendit un petit « oh ! » derrière elle. Elle se retourna et prit la main de Linotte. Ensemble, elles s'allongèrent par terre. Thomas s'étendit à côté de Rosalind et approcha le persil du canapé.

— Vous les voyez ? Yann est marron avec des taches, et cette grosse boule blanche derrière lui, c'est Carla.

D'abord, Rosalind ne distingua que de vagues formes, mais comme ses yeux s'adaptaient à l'obscurité, elle vit quatre yeux scintillants et quatre oreilles qui pivotaient dans leur direction. Yann, comme l'avait prédit Thomas, sortit rapidement de sa tanière, s'étira, bâilla et attrapa une grosse branche de persil qu'il se mit à mâchonner solennellement. Alors qu'il s'attaquait à sa deuxième branche, Thomas toucha le bras de Rosalind et pointa le doigt. La petite Carla, toute dodue, sortait elle aussi au grand jour.

— Elle ne va pas laisser Yann tout manger, dit Thomas.

Mais pour une fois, Carla dédaigna la nourriture. Quelque chose dans son minuscule cerveau de lapin avait reconnu la présence d'une âme sœur dans la pièce. Elle se dirigea vers Linotte. Un bond, deux bonds, et voilà qu'elle frottait son nez tout doux contre la main de la petite fille. C'en fut trop pour Yann : manger du persil était une chose, recevoir de l'attention en était une autre. Une seconde plus tard, il se mit à renifler l'autre main de Linotte.

— Qu'est-ce que je dois faire ? murmura celle-ci, tellement excitée que ses ailes en tremblotaient.

— Ils veulent que tu les câlines, Linotte, répondit Thomas. Ils te font un grand honneur. C'est la première fois que je vois Carla aller d'elle-même vers une inconnue.

Linotte caressa doucement les lapins, Yann à sa droite, Carla à sa gauche.

— Oh, Rosalind, ils m'aiment !

Rosalind et Thomas se sourirent.

— Merci, dit Rosalind.

— Pas de quoi.

Lorsque Linotte et Rosalind partirent voir les lapins, Lucas se mit à la recherche de Jeanne et de Skye. Il les trouva assises sur la véranda avec, entre elles, un ballon de foot tout dégonflé.

— Regarde ce que Crapule a fait ! dit Jeanne. Comment vais-je pouvoir m'entraîner avec un ballon crevé ?

— Jeanne est l'avant-centre de notre équipe, expliqua Skye. Elle est si forte qu'un entraîneur du collège vient aux matchs rien que pour la voir.

— N'exagère pas, protesta Jeanne, sans grande conviction.

Le foot était le seul domaine dans lequel elle battait Skye – à part l'écriture, évidemment – et elle appréciait que sa sœur soit assez généreuse pour vanter ses talents.

— Vous pouvez emprunter mon ballon, dit Lucas. Vous voulez que j'aille le chercher ?

— On peut venir avec toi ? demanda Jeanne en sautant de la véranda.

— Bien sûr.

Skye hésitait.

— Et, euh, comment dire…

— Tu t'inquiètes au sujet de Mère ?

— Non. Ce n'est pas comme si elle me faisait peur. Je me disais juste que ça pourrait la déranger qu'on vienne avec toi.

— Mais non, pourquoi ? De toute façon, elle n'est pas à la maison. Elle assiste à une réunion du comité du Club de jardinage. Venez.

Lucas les fit entrer dans le manoir par la fameuse porte sculptée en chêne. Elles se retrouvèrent dans un magnifique hall d'entrée, tellement vaste que leur pavillon entier aurait pu y tenir, et que Crapule aurait encore eu de la place pour courir tout autour. Le parquet reluisait, de même que le large escalier qui s'élevait devant elles. Les vitraux qui encadraient la porte teintaient la lumière du soleil de mille nuances. D'immenses vases bleu et blanc remplis de fleurs fraîchement coupées étaient disposés de-ci de-là.

— La splendeur d'une centaine de civilisations, s'extasia Jeanne.

— Ne touche à rien, recommanda Skye.

— Allons dans ma chambre, dit Lucas en se dirigeant vers l'escalier.

Mais Jeanne voulait voir au moins une pièce. Elle s'approcha sur la pointe des pieds d'une large porte, sur la gauche, et découvrit une autre avalanche de magnificences : d'antiques tables en bois aux pieds finement sculptés, des tapisseries faites à la main représentant des licornes et des dames coiffées de grands chapeaux pointus, de délicates statues d'oiseaux en albâtre et d'exquises peintures à l'huile représentant des jardins. Comme elle l'expliqua ensuite à Rosalind, elle se serait crue dans un musée, sans les cordes en velours et les gardiens en uniforme.

Skye la tira hors de la pièce et elles suivirent Lucas dans l'escalier qui s'enroulait sur lui-même jusqu'au troisième étage, où se trouvait sa chambre. C'était, heureusement, une pièce tout à fait normale. De vieux tapis sans prétention recouvraient le sol, sur lesquels on pouvait marcher sans poser ses chaussures, et les meubles simples ne semblaient pas craindre les chocs. Il y avait cependant un élément que les deux sœurs n'avaient encore jamais vu dans une chambre.

— Un piano ! s'écria Skye.

— Ce n'est qu'un piano droit, s'excusa Lucas. Le piano à queue se trouve au rez-de-chaussée.

— Tu sais en jouer ? demanda Jeanne.

Lucas sortit un ballon de sous son lit, le fit tourner sur son index comme une star du basket (c'est Thomas qui lui avait appris), puis le lança à Skye qui l'attrapa facilement.

— Oui, mais pas maintenant. Retournons dehors.

— Ah, tu ne joues pas bien ? demanda Skye d'un air compatissant.

Elle ne le comprenait que trop bien : son père avait dû annuler ses leçons de clarinette à cause des plaintes des voisins.

— Ce n'est pas ça.

— S'il te plaît, insista Jeanne.

— Bon, alors juste un tout petit peu.

Il releva le couvercle et s'assit sur le tabouret. Skye et Jeanne prirent une expression polie, s'attendant à une horrible cacophonie. En fait, le morceau était si beau que Skye crut qu'il se moquait d'elles et qu'il passait un enregistrement. Elle regarda sous le piano, mais ne trouva rien qui ressemble à un quelconque appareil. Lucas s'arrêta après une petite minute et prit le ballon des mains de Skye.

— Allons-y !

— Attends ! hurla Jeanne. Je veux en entendre plus !

— Pourquoi as-tu fait semblant de ne pas être doué ? demanda Skye.

Le visage de Lucas s'illumina.

— Ça vous a plu ? C'était un morceau de Tchaïkovski. Ça ne fait pas très longtemps que je le travaille, et bien sûr il faut l'imaginer avec tout un orchestre derrière. C'est vraiment ce que je veux faire plus tard... musicien. À l'école, mon professeur dit que je pourrais entrer au conservatoire, et ensuite, si j'en suis capable, j'aimerais devenir chef d'orchestre. Mais Mère…

— LUCAS !

Les trois enfants se figèrent. Skye avait reconnu cette voix et Jeanne devina facilement à qui elle appartenait.

— Elle a dû rentrer plus tôt que prévu, dit Lucas.

Il passa la tête par la porte de sa chambre.

— JE SUIS DANS MA CHAMBRE.

— DESCENDS, CHÉRI ! J'AI RAMENÉ LES ROBINETTE AVEC MOI !

— Mme Robinette et son fils Teddy, expliqua Lucas d'un air triste. Mère veut sans doute que je le divertisse. Vous feriez mieux de rester ici le temps que je me débarrasse de lui et que je revienne vous chercher.

— Pourquoi ne peut-on pas venir avec toi ? demanda Skye.

— Je vous jure que vous ne voudriez pas rencontrer Teddy. Sa conception de l'humour consiste à jeter les devoirs des autres élèves dans les toilettes. J'essaierai de faire vite. Je peux peut-être le noyer dans la mare aux nénuphars, dit-il avant de s'esquiver.

— Génial ! dit Skye.

Elle n'appréciait pas du tout de se retrouver coincée là à cause d'une petite brute. Jeanne, elle, avait d'autres préoccupations. Elle regardait par une fenêtre, comme Lucas le jour où elles étaient arrivées. Et comme Arthur dans son livre, le pauvre Arthur, rêvant que quelqu'un, n'importe qui, lui adresse un mot gentil. De quelle façon Sabrina Starr lui apparaîtrait-elle pour la première fois ? Jeanne ne l'avait pas encore décidé. Elle pourrait peut-être piloter un dirigeable. Non, c'était trop gros, il risquerait de se prendre dans les arbres. Un hélicoptère ferait son petit effet, mais c'était trop bruyant. Sabrina ne souhaitait pas que Mme Atrocifer – le nom qu'elle avait donné à l'ignoble ravisseuse d'Arthur – l'entende arriver. Et pourquoi pas une montgolfière ? Oui ! Sabrina viendrait le sauver à bord d'une montgolfière !

— Jeanne. Jeanne ! dit Skye, debout devant une autre fenêtre. LA TERRE APPELLE JEANNE !

— Quoi ?

— Viens voir ça. On peut sortir par la fenêtre et descendre par ce grand arbre.

— Lucas a dit qu'on devait l'attendre.

— Ça va lui prendre des heures de se débarrasser de ce fichu Teddy. Aide-moi.

Elles soulevèrent ensemble la vieille et lourde fenêtre et enlevèrent la moustiquaire. Elles jetèrent le ballon en bas puis Skye monta sur le rebord et sauta sur une grosse branche. Elle regarda en bas. Elle n'avait pas le vertige, mais elle se trouvait quand même à une hauteur de trois étages. Elle s'agrippa à une autre branche pour garder l'équilibre et se retourna vers la fenêtre.

— Jeanne, où es-tu ? chuchota-t-elle.

— J'écris un mot pour Lucas. Que penses-tu de : « Nous nous sommes envolées, à plus tard » ?

— Écris ce que tu veux, mais dépêche-toi !

Une minute plus tard, Jeanne l'avait rejointe sur la branche. Elles se rapprochèrent lentement du tronc, puis descendirent sur une autre branche, puis encore une autre, et ainsi de suite, jusqu'à parvenir à la branche la plus basse. Néanmoins, elles se trouvaient encore à cinq mètres du sol.

— Et maintenant ? demanda Jeanne.

— Je ne sais pas.

— On pourrait remonter.

— Laisse-moi réfléchir une seconde. Je vais trouver quelque chose.

Skye aurait pu se remuer les méninges toute la journée, elle n'aurait jamais trouvé le moyen de les sortir de là. Heureusement, Linotte et Rosalind avaient dit au revoir aux lapins cinq minutes plus tôt et se dirigeaient vers le pavillon, pressées de tout raconter à Crapule. Cela voulait dire que Thomas s'était remis au travail. Jeanne l'aperçut alors qu'il poussait une brouette vers un parterre de dahlias, à une dizaine de mètres de l'arbre.

— Salut, Thomas ! cria-t-elle.

Thomas effectua un tour complet pour identifier la source de cette voix.

— Là-haut ! cria Jeanne.

Il releva les yeux et se mit à rire.

— Qu'est-ce que vous fabriquez, toutes les deux ?

— On est un peu coincées, dit Skye.

— Un instant.

Il disparut et revint quelques minutes plus tard avec une haute échelle qu'il appuya contre le tronc. Skye, puis Jeanne, retrouvèrent la terre ferme, indemnes.

— Tu as gagné notre gratitude éternelle en nous sauvant d'un sort pire que la mort, déclara Jeanne.

— Pourrais-tu avertir Lucas que nous nous sommes enfuies ? demanda Skye. Et qu'il faut qu'il vienne jouer au foot avec nous quand il aura semé ce Robinette ?

— En fait, tu pourrais peut-être lui donner un coup de main, suggéra Jeanne.

— Oui, il essaie de le noyer, expliqua Skye.

— Je vais m'en occuper, dit Thomas, et les deux fillettes filèrent avec le ballon de football.

CHAPITRE 7

L'emprunt

Lucas ne revint pas au pavillon cet après-midi-là, et Jeanne se mit dans tous ses états. Et s'il avait bel et bien noyé Teddy Robinette ? Alors même qu'elle et Skye jouaient joyeusement au foot, on le jetait peut-être dans une cellule sombre et humide. Skye la traita d'idiote, mais elle s'inquiétait elle aussi. Elle craignait que Mme Tifton, ayant appris leur visite, ne lui ait interdit de les revoir.

Quel ne fut donc pas leur soulagement quand il se présenta chez elles le lendemain matin, tandis qu'elles nettoyaient la cuisine après le petit déjeuner. Rosalind faisait la vaisselle, Skye l'essuyait, Jeanne rangeait les verres et les assiettes et Linotte, debout sur un tabouret, mettait les couverts en argent à leurs places respectives dans le tiroir.

— Que s'est-il passé ? demanda Jeanne. Tu l'as tué ?

— Est-ce que ta mère t'a tué ?

— Ni l'un ni l'autre. Teddy s'est blessé à la jambe en trébuchant sur un râteau. Il a fait une telle comédie que Mère m'a obligé à rester tout l'après-midi avec lui devant la télévision, pour qu'il puisse garder la jambe surélevée. Mais il ne reviendra pas. Je l'ai menacé de raconter à sa mère qu'il a triché à tous ses contrôles de maths de l'année dernière. Oh, et Thomas va accrocher une échelle de corde à la branche de l'arbre. Vous pourrez l'enrouler quand vous n'en aurez pas besoin, et comme ça personne ne la remarquera.

— Super ! fit Skye. Maintenant on pourra s'échapper sans problèmes.

— Et toi aussi, Lucas, tu pourras l'utiliser, suggéra Jeanne.

— À quoi ça me servirait ?

— Oh, on ne sait jamais.

— Essuie les verres, Skye, dit Rosalind. Ne te contente pas de les passer à Jeanne.

Skye leva les yeux au ciel.

— C'est une perte de temps puisqu'on va encore s'en servir à midi.

— Au fait, reprit Lucas, Churchie vous invite toutes à venir goûter son pain d'épices. Maman est encore sortie, pour celles qui auraient des objections.

— Qui parle de pain d'épices ? demanda M. Penderwick.

Il venait d'entrer dans la cuisine pour inspecter le travail de Linotte, qui était très fière de ranger correctement les couverts.

— Churchie est la spécialiste du pain d'épices, et elle veut que tout le monde vienne en manger. Vous pouvez venir aussi, monsieur Penderwick, si vous voulez.

— C'est parfait, Linotte, comme d'habitude, dit Penderwick en la faisant descendre du tabouret. Merci,

Lucas, mais Thomas m'a déjà proposé d'examiner les croisements de pivoines qu'il est en train d'effectuer.

— On peut y aller, papa ? demanda Jeanne.

— Tu les supportes encore, Lucas ?

— Oh, oui, monsieur. Enfin, à part Skye.

Il évita agilement le coup de poing de la fillette.

— Dans ce cas, je suis d'accord. *Vade in pace, filiae.*

— C'est du latin, précisa Jeanne.

— Je sais, dit Lucas.

Churchie sortait tout juste son gâteau du four lorsque les cinq enfants arrivèrent. L'odeur qui flottait dans l'air était si alléchante qu'ils en oublièrent immédiatement leur petit déjeuner.

— Vous voilà ! Laissez-moi vous regarder. Voici ma vieille amie Jeanne, et tu dois être Rosalind. Et toi, Skye. Linotte n'est pas venue ?

Rosalind la força à se décoller de son dos.

— Ma parole ! Toutes plus jolies les unes que les autres !

On frappa à la porte et Churchie fit entrer Harry, l'homme aux tomates. Il portait une chemise rouge ce jour-là, qui arborait elle aussi la fameuse inscription : LES TOMATES DE CHEZ HARRY.

— Et voilà tes tomates, dit-il en posant un gros carton sur le plan de travail de la cuisine.

— Merci, Harry. Je vois que tu arrives juste à temps pour le pain d'épices, une fois de plus. Mesdemoiselles, je vous présente l'odorat le plus fin de tout le Massachusetts.

— Ne l'écoutez pas. Elle mourrait de honte si

personne ne venait déguster sa spécialité. Alors, Lucas, il paraît que tu t'es fait de nouvelles amies ? Thomas m'a parlé de petites filles qui se faufilaient dans les haies, se cachaient dans les urnes et se retrouvaient coincées dans les arbres. Et le fermier Vangelder, qui habite en bas de la rue, a vu des gamins en train de tourmenter son taureau l'autre jour, mais ils se sont enfuis avant qu'il puisse leur crier dessus.

— Oh, ça, ce n'était pas nous ! s'écria Rosalind tandis que Lucas essayait de contrôler un début de fou rire.

Harry jeta un coup d'œil à Skye, qui s'efforçait de prendre une mine innocente : elle n'avait jamais approché un taureau de sa vie !

— Si vous le dites. Ce qui est sûr, c'est que vous apportez un peu de vie dans ce vieux domaine.

— Et ça c'est une bonne chose, ajouta Churchie en coupant d'énormes parts de gâteau. Maintenant, asseyez-vous et mangez !

Les Penderwick observèrent la pièce, un peu intimidées, n'ayant jamais vu une cuisine aussi grande et imposante, une cuisine « digne des rois », comme Jeanne la décrirait plus tard. Il y avait trois fours aussi larges que ceux d'un restaurant, quatre réfrigérateurs, trois éviers en Inox, deux longues tables en bois, et un plan de travail qui semblait s'étendre sur des kilomètres. Où étaient-elles censées s'asseoir ? Il y avait tant de place… Heureusement, Lucas les conduisit dans un recoin ensoleillé, aussi accueillant que Churchie elle-même, pourvu d'une petite table recouverte d'une nappe à carreaux, avec des bancs de chaque côté. Tout le monde s'y entassa et Churchie leur servit du pain d'épices agrémenté de crème fouettée et de fraises.

Les Penderwick ne s'étaient jamais autant régalées, et même Lucas et Harry, qui avaient goûté de nombreuses recettes de Churchie, engloutirent deux parts chacun.

— C'est délicieux, Churchie, merci, dit Rosalind en essuyant Linotte, dont le visage et la chemise étaient maculés de crème.

— Merci, ma chérie. Et attendez de goûter au gâteau d'anniversaire que j'ai prévu pour la semaine prochaine.

— L'anniversaire de qui ? demanda Skye.

— De Lucas, bien sûr. Il va avoir onze ans. Lucas, tu ne les as pas invitées à ton dîner d'anniversaire ?

Lucas s'étouffa avec sa troisième part de gâteau, et Skye lui tapa dans le dos.

— Elles ne veulent pas venir, bredouilla-t-il. Ce sera dans la grande salle à manger, avec les chandelles, les serviettes en dentelle et la porcelaine de collection, sans compter qu'il y aura le vieux Denis.

— Ce qu'il veut dire par là, expliqua Churchie, c'est que le bon ami de Mme Tifton, M. Dupré, assistera à la fête.

— Vous voulez dire son petit ami ? interrogea Skye.

— Mme Tifton a un petit ami ! renchérit Jeanne.

— C'est incroya… commença Skye.

— Ça ne m'a pas l'air si terrible que ça, l'interrompit Rosalind. Il y a pire que des serviettes en dentelle. Nous viendrons, si tu en as envie.

— Elles devront porter des robes du soir, dit Harry d'un air narquois.

— Mère voudra absolument que vous soyez bien habillées.

— Bien habillées ! s'indigna Skye. C'est ridicule. On est en plein été !

— D'ailleurs, nous n'avons pas emporté de robes, dit Rosalind. Et on ne peut pas demander à papa de nous en acheter rien que pour une soirée.

— Alors vous ne pouvez pas venir. Quel dommage ! se réjouit Lucas.

— Attendez une minute, dit Churchie. J'ai une idée. Finissez vos assiettes, ensuite Harry retournera à ses tomates et nous monterons au grenier.

Si le rez-de-chaussée du manoir ressemblait à un musée, le grenier, lui, était une véritable malle aux trésors. Des rangées et des rangées d'objets extraordinaires s'étendaient à perte de vue : des tapis, des miroirs, des cuivres, des plateaux en argent, des paravents peints à la main, des bibliothèques croulant sous les livres, des poupées de toutes formes et de toutes tailles, des secrétaires, des soldats de plomb, des berceaux, des cannes et des parapluies, des luges, des chevalets, des vases, des trains électriques, de vieux appareils photo, des rideaux de brocart, et bien d'autres trésors encore, si nombreux qu'on aurait pu se perdre et ne jamais vouloir retrouver son chemin.

Les sœurs n'en finissaient pas de pousser des « oh ! » et des « ah ! » admiratifs.

— Viens, Rosalind, dit Churchie. Nous avons du travail. Lucas, fais visiter le grenier aux filles.

Churchie devança Rosalind dans une aile encombrée d'un côté de secrétaires, de l'autre de canapés rebondis, puis elle tourna à gauche et se fraya un chemin au milieu de décorations de jardin en marbre et de hautes piles de magazines. Après un nouveau virage au niveau de lampes aux abat-jour de verre coloré, elles pénétrèrent dans un vaste espace débordant de vêtements : des centaines et des centaines de robes, de costumes, de chemises, de jupes, de manteaux, pendus en rangs interminables. Rosalind n'avait jamais vu autant d'articles réunis en un seul endroit, pas même dans les grands magasins de Boston.

— Mme Tifton a gardé tous ses vêtements, depuis son enfance, expliqua Churchie. Et tous ceux de sa mère, Mme Framley. Et là-bas derrière, on trouve ceux de sa grand-mère.

— Ils sont si beaux ! s'exclama Rosalind en passant devant un arc-en-ciel de robes d'été.

— Passe encore deux rangées et tu verras les robes de soirée de Mme Framley.

Rosalind en trouva des douzaines, en taffetas, en dentelle, en satin ou en velours, extraordinairement luxueuses.

— Ça alors ! Et elle avait vraiment l'occasion de les porter ?

— Les Framley donnaient des fêtes splendides autrefois, bien avant que j'arrive ici – je n'ai été engagée qu'après la naissance de Lucas. Mais Harry a toujours vécu ici et il m'a raconté. Il faisait office de voiturier lorsque la haute société new-yorkaise venait passer le week-end ici. Les Framley organisaient des petits déjeuners pour trente personnes sur la terrasse, des dîners habillés et des bals. Mme Tifton n'était encore qu'une jeune fille à l'époque. Elle est fille unique, tu comprends, et elle est arrivée tard, alors que ses parents avaient depuis longtemps abandonné l'espoir d'avoir un enfant. Ils la vénéraient et l'ont élevée comme une princesse.

Lorsque Churchie arriva au niveau de Rosalind, elle lui tendit une robe rayée.

— C'est bien ce que je pensais, cette teinte corail te va à merveille. Il faudra juste que je la reprenne un peu et que je la raccourcisse pour la mettre à la mode.

— Je ne peux pas porter une robe appartenant à Mme Tifton ! protesta Rosalind.

— Et pourquoi pas ? Je lui ai déjà dit que vous étiez invitées, et d'ailleurs elle ne la reconnaîtra pas. Qui pourrait se souvenir de toutes ces robes ?

— Mais Churchie, même si c'est vrai, on ne peut pas vous demander de les ajuster, et moi je n'y arriverai pas.

— Ne t'en fais pas pour ça. Je n'ai pas eu l'occasion de faire de la couture depuis que ma fille est grande, et maintenant elle vit à Boston avec son mari et n'a que des garçons. Je vais bien m'amuser. Tiens, prends-la pendant que je cherche quelque chose pour tes sœurs.

Rosalind s'approcha d'un grand miroir appuyé contre le mur et étudia timidement son reflet. Elle n'avait jamais porté de robe aussi élégante. Et, en effet, cette couleur lui allait parfaitement. Elle mémorisa tous les détails pour Anna : toile souple, taille haute, sans manches, col rond et, le petit plus, des boutons recouverts de tissu dans le dos.

— Churchie, où êtes-vous ?

— Suis les chemisiers.

Rosalind obéit et s'arrêta net à la vue d'une superbe robe blanche pendue, seule, au bout d'une rangée. Sous la housse en plastique, elle distingua des mètres de satin et de tulle brodés de minuscules perles.

— Oh, c'est la robe de mariage de Mme Tifton ?

— Non, celle de sa mère, dit Churchie en sortant la tête d'un rayon de chemises de nuit en soie. Je ne pense pas que Mme Tifton ait porté ce genre de robe pour son mariage et, de toute façon, elle ne l'aurait pas gardée. Son mariage a été une grosse erreur. Il n'a même pas tenu un an.

— Que s'est-il passé ?

— Eh bien, il faut revenir un peu en arrière. Mme Framley est décédée alors que Rebecca – Mme Tifton – n'avait que dix-sept ans. Le général a sombré dans une profonde dépression. Il ne parlait plus à personne, pas même à sa fille. Les visiteurs new-yorkais ont cessé de venir, les fêtes se sont arrêtées, tout s'est arrêté. Ce n'était pas une vie pour une adolescente. Dès qu'elle l'a pu, Rebecca est partie étudier dans une petite université de Boston. Elle y a rencontré un jeune homme qu'elle a épousé en secret à vingt ans à peine. J'imagine que c'était une manière de se rebeller contre son père. C'est qu'il était strict, le vieux général !

— Où est M. Tifton, maintenant ?

— Il ne s'appelait pas Tifton. Le général n'a pas voulu que Rebecca garde son nom d'épouse après le divorce. Mais comme elle était aussi têtue que lui, elle a refusé de reprendre son nom de jeune fille. Elle ne voulait pas que les gens se demandent si elle avait ou non été mariée, car elle était très jeune, et elle était enceinte. Alors ils se sont mis d'accord sur Tifton, le nom de jeune fille de la mère du général. Je ne connais pas le nom du père de Lucas, et je n'ai aucune idée de ce qu'il est devenu. Je ne crois pas que Lucas en sache plus que moi à ce sujet.

— Pauvre Lucas.

— Oui.

Churchie enleva une robe rouge de son cintre et la secoua vigoureusement pour faire disparaître des plis imaginaires, comme si, par ce geste, elle pouvait remettre de l'ordre dans la vie de Lucas.

— Son père est parti avant sa naissance. Certains prétendent que Rebecca s'est lassée de lui et l'a mis à la porte, d'autres que le général l'a payé pour qu'il s'en aille, ne le jugeant pas digne d'épouser une Framley. Ce qui est sûr, c'est que Rebecca est revenue à Arundel pour avoir Lucas et qu'elle est restée avec son père. Le bébé a ramené le général à la vie. Il l'adorait et le considérait comme le fils qu'il n'avait jamais eu. Et puis il est mort, lui aussi, quand Lucas avait sept ans.

Churchie remit la robe rouge à sa place et en sortit une autre, bleu vif.

— Elle irait bien à Skye, non ? Elle est de la même couleur que ses yeux.

— Elle est très jolie. Churchie, tout ça est si triste !

— C'est triste, en effet. Mais je vais te dire quelque chose : Lucas est bien plus heureux depuis votre arrivée.

— C'est vrai ?

— Tout à fait.

Il y eut soudain du remue-ménage dans les

chemisiers et Lucas, Skye et Jeanne apparurent, armés de grands arcs en bois et de carquois remplis de flèches.

— Tout à fait quoi ? questionna Skye.

— Tu vas arracher les yeux de quelqu'un avec ces flèches, dit Churchie.

— On va demander à Thomas de couvrir les pointes avec du caoutchouc, comme ça on ne craindra rien, dit Lucas.

— Mmouais, grommela Churchie.

— Rosalind, il faut que tu voies l'autre côté du grenier, dit Skye. Il y a un canoë, un équipement de cricket, et même trois selles de cheval !

— Et des épées, Rosalind ! s'écria Jeanne en sortant une flèche qu'elle se mit à manier comme un sabre. Rustres mal élevés, préparez-vous à rencontrer votre funeste destin à la pointe de l'épée de Sabrina Starr !

— Ce sont les épées de service du grand-père de Lucas, dit Churchie. J'espère que personne ne s'est coupé le doigt.

— Il n'y a eu qu'un petit accident. Skye, montre-lui ta main, dit Lucas.

Celle-ci tendit la main, dont elle avait replié deux doigts.

— Très joli, dit Churchie, pas du tout impression-née. Essaie de ne pas mettre de sang partout.

Jeanne, qui s'était lassée des armes de destruction, venait juste de remarquer les vêtements qui les entou-raient.

— Regardez-moi tout ça !

— Churchie va nous prêter des robes pour l'anni-versaire de Lucas, annonça Rosalind.

— Génial ! s'écria Jeanne, les yeux écarquillés. Pour qui est celle que tu as sortie, Churchie ?

— Je me suis dit qu'elle irait très bien à Skye.

— Puisqu'elle est si délicate et si distinguée, ajouta Lucas.

Comme par hasard, Skye refusa de la porter. Ce ne fut qu'après un long débat, perturbé par les remarques narquoises de Lucas, qu'elle accepta de mettre une robe, et encore, seulement parce que Churchie lui en avait trouvé une à son goût. Noire et moulante, elle lui rappelait une robe que sa mère portait autrefois. Puis Churchie et Rosalind s'occupèrent de Jeanne, qui voulait une tenue à la fois romantique et provocante, deux caractéristiques presque impossibles à réunir dans une seule robe. Mais Churchie s'en sortit avec une robe style marin bleue et blanche pour laquelle Jeanne eut le coup de foudre.

— Maintenant, tenez-vous tranquilles, dit Churchie.

Elle mesura les filles avec son mètre.

— Bien, en les reprenant par-ci par-là, elles donneront l'impression d'avoir été faites pour vous. Et j'ai trouvé quelques jupes longues dont je pourrai me servir pour confectionner une robe bain de soleil à Linotte. Où est-elle passée, d'ailleurs ?

Lucas la retrouva assise au milieu d'un cercle d'animaux en bois de toutes sortes. Il y avait un éléphant aussi gros qu'elle et une souris de la taille de son petit doigt. Elle s'était approprié un lapin qu'elle faisait sautiller par terre.

— Churchie va te faire une robe, dit-il.

— Je n'en veux pas. Je veux ce lapin. Il s'appelle Yann.

— Tu peux l'avoir si tu laisses Churchie prendre tes mesures.

— D'accord.

Une demi-heure plus tard, l'affaire était réglée. Non seulement les Penderwick assisteraient au dîner raffiné de Mme Tifton, mais en plus elles porteraient de beaux vêtements pour l'occasion. Trouver des chaussures ne posa pas de problèmes, car Churchie avait ouvert des malles pleines de chaussures de toutes tailles et de toutes formes, laissant les filles choisir celles qu'elles préféraient. Seule Linotte, qui n'avait pu en trouver à sa taille, se contenterait de ses sandales habituelles.

— Après tout, dit Skye, qui se soucie de ses pieds tant qu'elle a ces ailes débiles sur le dos ?

— Elles ne sont pas débiles, protesta Linotte en serrant contre elle son nouveau lapin.

— Venez, dit Lucas, allons jouer au foot.

Ce soir-là, Rosalind organisa une RSP pour raconter à ses sœurs la triste histoire de Lucas et de son père absent. Elles auraient tant voulu faire quelque chose pour lui, mais même Sabrina Starr n'avait pas d'idées. En revanche, elles prirent deux grandes résolutions : ne pas interroger Lucas sur son père, et lui trouver de super-cadeaux d'anniversaire. Puis elles rejoignirent leurs chambres et chacune s'endormit en pensant que s'il y avait pire que de perdre un parent, c'était bien d'avoir un père qui n'avait jamais pris la peine de vous connaître.

CHAPITRE 8

Le dîner d'anniversaire

Peut-il vraiment exister une semaine parfaite ? Un jour parfait, à la rigueur, mais sept jours entiers ? Les Penderwick répondraient oui, et les sept jours séparant leur visite du grenier d'Arundel du dîner d'anniversaire de Lucas resteraient gravés dans leur mémoire comme absolument paradisiaques. Plus tard, Skye dirait que c'était parce qu'elles n'avaient pas encore rencontré Mme Tifton. Elle n'aurait peut-être pas tort. Ce qui est sûr, c'est que soit par chance (la théorie de Skye), soit par magie (celle de Jeanne), Mme Tifton ne fit pas son apparition avant l'anniversaire de Lucas, laissant les enfants libres de profiter d'Arundel et de ses trésors.

Lors de ces jours merveilleux, Lucas leur fit découvrir le moindre recoin du domaine : le vieil entrepôt creusé à flanc de colline, le chemin derrière le pavillon qui menait à un ruisseau bouillonnant, la cachette sous le pavillon grec, la mare aux nénuphars et sa colonie de grenouilles, le terrain où les gens enfouissaient autrefois les ordures et où l'on pouvait aujourd'hui dénicher de vieilles casseroles. Un jour où il faisait particulièrement chaud, il leur montra même les commandes de mise en route des fontaines du jardin. Les enfants se jetèrent à l'eau – même Rosalind –, et Thomas dut courir les fermer. Mais il ne les gronda pas : il rit et leur demanda simplement de ne pas recommencer.

En plus, chaque sœur avait ses propres petits plaisirs. Pour Linotte, c'était de dormir toutes les nuits avec Crapule et de rendre visite chaque jour aux lapins de Thomas, avec Rosalind. La plupart du temps, Thomas n'était pas chez lui. Rosalind la laissait alors ouvrir la porte grillagée, juste assez pour y glisser deux carottes puis, de dehors, elles regardaient Yann et Carla les grignoter. Les plaisirs de Jeanne consistaient à jouer au foot avec Skye et Lucas et à écrire son livre, qui devenait de plus en plus passionnant. (Sabrina avait rendu plusieurs visites à Arthur par voie aérienne, mais elle n'avait toujours pas trouvé le moyen de le faire sortir de sa cellule.) Quant à Skye, elle préférait les longues cavalcades effrénées dans les jardins en compagnie de Lucas et, la nuit, le calme de sa chambre blanche et bien rangée. Et Rosalind ? Elle chérissait les visites matinales de Thomas, qui venait arroser le rosier *Fimbriata*, et les quelques instants qu'ils passaient ensuite à discuter sur la véranda. Grâce à la règle numéro 1 de « Conversation avec un garçon » que lui avait apprise Anna (poser beaucoup de questions), elle en apprenait beaucoup sur Thomas. Elle savait par exemple qu'il économisait de l'argent pour aller à l'université, car il voulait devenir prof d'histoire et entraîneur de base-ball. Quand il y serait parvenu, il achèterait une maison à la campagne et fonderait une famille avec suffisamment d'enfants pour former une équipe de basket (une équipe de base-ball demandait trop de joueurs). Pendant son temps libre, il écrirait des livres sur la guerre de Sécession. Chaque soir, Rosalind écrivait soigneusement à Anna tout ce qu'il lui avait raconté.

Les jours défilaient ainsi, chacun meilleur que le précédent, et tout le monde pensait que ces vacances parfaites n'auraient jamais de fin.

Puis vint le jour du dîner d'anniversaire.

— Souriez ! s'écria M. Penderwick en appuyant sur le bouton de son appareil photo.

— L'autre bouton, papa, dit Rosalind.

— Ah oui.

Il regarda l'appareil par-dessus ses montures de lunettes. Cette fois, il y eut un flash.

— Prends-en une autre, papa, demanda Linotte. Crapule ne souriait pas.

— Il ne mérite pas de sourire, dit Skye.

Une demi-heure plus tôt, Crapule avait vomi sur ses chaussures argentées, ou plus exactement sur celles de Mme Tifton. Rosalind les avait soigneusement nettoyées, mais elles étaient encore gorgées d'eau et couinaient dès que Skye faisait un pas.

— Est-ce qu'on voit mes genoux sur la photo ? demanda Jeanne, qui se les était égratignés le matin même en jouant au foot.

— Je t'ai déjà dit que ta jupe était assez longue pour les couvrir, répondit Rosalind.

— Bon, allons-y ! dit M. Penderwick en appuyant sur le bouton.

— Papa, non ! s'écria Rosalind. Linotte avait son côté chewing-gum tourné vers l'objectif.

Linotte s'était collé du chewing-gum dans les cheveux, ce matin-là, et même si Rosalind les avait coupés aussi nettement que possible, il y avait désormais un trou peu élégant entre ses boucles.

— D'accord, une dernière, dit leur père. *Vincit qui patitur.*

— Concentrez-vous ! dit Rosalind.

— Magnifique, dit M. Penderwick. Mes quatre petites princesses.

Rosalind observa ses sœurs avec inquiétude. Elles étaient effectivement très jolies. Skye était aussi élégante que possible dans sa robe noire, et Jeanne ne se lassait pas de sa robe bleue et blanche. Elle ne cessait de tourbillonner pour la faire gonfler comme un parachute. Évidemment, Linotte avait mis ses ailes, mais Churchie avait choisi un tissu jaune vif pour sa robe : « Si elle insiste pour ressembler à un insecte, alors ce sera un insecte aux couleurs vives. » Rosalind espérait ne pas dépareiller. Sa robe rayée lui allait comme un gant, et elle avait relevé ses cheveux sur le sommet de son crâne. Elle avait mis du rouge à lèvres mais l'avait enlevé avant de descendre pour la photo. D'après Anna, c'était ridicule de mettre du rouge à lèvres avant quinze ans.

— Vous êtes prêtes ? demanda-t-elle. Qui a les cadeaux de Lucas ?

— Moi, répondit Jeanne.

— Je veux que tout le monde répète les règles.

— On dit « s'il vous plaît » et « merci » à tout le monde, on garde notre serviette sur nos genoux, on ne se fâche pas avec Mme Tifton et on ne lui fait pas de grimaces, récitèrent Jeanne et Linotte.

— Skye ?

— Je connais les règles.

— Crapule veut venir avec nous, dit Linotte, et le chien aboya pour appuyer ses propos. Il dit qu'il s'échappera si on ne l'emmène pas.

Récemment, Crapule avait entrepris de creuser un tunnel sous le grillage de l'enclos, mais il n'y était pas encore parvenu. M. Penderwick passait un temps fou à reboucher les trous.

— Ne t'inquiète pas pour Crapule, dit M. Penderwick. Lui et moi allons faire une longue promenade pour trouver du *Rudbeckia laciniata.*

— On ne va pas te manquer pendant le dîner, papa ? demanda Jeanne.

— Ne t'en fais pas. Crapule et moi allons manger des hot dogs. Amusez-vous bien et souhaitez un bon anniversaire à Lucas de ma part.

Les fillettes prirent le chemin le plus long pour rejoindre le manoir, car Rosalind craignait qu'elles n'abîment leurs belles tenues en passant par le tunnel. Une fois dans le jardin, elles firent un rapide détour par le pavillon grec pour y cacher les cadeaux de Lucas : elles avaient décidé de les lui offrir après la fête, loin de Mme Tifton. Puis elles se dirigèrent vers la porte de la cuisine. Elles voulaient montrer à Churchie le résultat de ses travaux de couture.

— Churchie, c'est nous ! dit Rosalind en frappant à la porte.

Ce fut Thomas qui leur ouvrit.

— Ouah, les filles, vous êtes superbes !

— À part mes chaussures, dit Skye en passant d'un pied sur l'autre pour lui montrer l'étendue des dégâts. Elles sont mouillées à cause de Crapule.

— Bon, à part les chaussures de Skye, vous êtes superbes.

Il sourit à Rosalind qui rougit malgré elle.

— Thomas, fais-les entrer ! s'écria Churchie.

En entrant, elles virent non seulement Churchie, occupée à remuer une grosse salade, mais aussi Harry, appuyé contre l'évier, qui dégustait un petit pain. Cette fois, sa chemise était jaune.

— Je suis venu pour le défilé de mode, dit-il.

— Ne l'écoutez pas, dit Churchie. Lui et Thomas sont venus pour manger. Bon, laissez-moi vous regarder.

Les filles se mirent en ligne. Jeanne exécuta une révérence, puis fit tourner sa jupe.

— Vous êtes splendides. On dirait des fleurs tout juste écloses.

— Grâce à vous, Churchie, dit Rosalind. Nos robes nous plaisent beaucoup.

— Ne sont-elles pas magnifiques, Harry ?

— Absolument, répondit-il en attrapant un autre petit pain.

— Où est Lucas ? demanda Skye.

— Dans la salle à manger, avec Mme Tifton et M. Dupré.

— Le petit ami, murmura Jeanne à Skye.

— Oui, le petit ami. Mme Tifton m'a chargée de vous y escorter à votre arrivée.

— Oh, mon Dieu, fit Rosalind.

Elle redressa le col de Jeanne et lissa les boucles de Linotte pour cacher le trou dans sa chevelure.

— Vous allez très bien vous en tirer, leur assura Thomas en levant le pouce.

Elle l'ignora, déterminée à ne pas rougir une seconde fois.

— Après tout, dit Skye, elle ne va pas nous manger ! Allons retrouver Lucas.

Churchie leur fit traverser le garde-manger, puis les devança dans un petit couloir, avant de s'arrêter devant une porte très large.

— Nous y voilà. Maintenant entrez et régalez-vous.

Elle les embrassa sur la joue puis repartit en cuisine.

Jeanne jeta un coup d'œil par l'embrasure de la porte.

— Ils sont à l'autre bout d'une très, très grande pièce, murmura-t-elle.

Rosalind serra fort la main de Linotte (elle savait que la petite fille aurait voulu s'enfoncer sous terre) et passa la porte. Pour une fois, Jeanne n'avait pas exagéré. La salle était si longue que les convives, qui leur tournaient le dos, à l'autre bout, ressemblaient à de petites poupées. Rosalind hésita. Cela ne lui plaisait pas d'avancer dans le dos de Mme Tifton.

— On devrait crier bonsoir, proposa Skye.

— Ça ne ferait pas très bonne impression, dit Rosalind.

— « Sabrina Starr et ses compagnons étaient trop fiers pour prendre leurs ennemis en embuscade », déclama Jeanne.

— Rentrons à la maison, dit Linotte.

— Qui sommes-nous, des hommes ou des souris ? demanda Skye en se redressant, épaules en arrière.

Elle au moins avait choisi son camp.

— Tu as raison, approuva Rosalind. En avant !

Elles se mirent donc en marche, Rosalind et Linotte devant, Skye et Jeanne derrière. Elles firent un pas, deux pas, et ainsi de suite, mais personne ne se retourna. Huit pas, neuf pas, dix pas, dans cette pièce interminable et terriblement silencieuse... si on faisait abstraction du bruit des chaussures de Skye. Plus les filles s'approchaient de Mme Tifton, plus elles couinaient, comme une méduse géante sur pattes. Rosalind lança un regard suppliant à sa sœur, mais Skye ne put que secouer la tête en fronçant les sourcils : elle n'y pouvait rien !

Désormais, les convives paraissaient plus gros. Mme Tifton portait une robe violette très chic, Denis et Lucas étaient tous les deux en costume. On aurait dit que Lucas était écrasé sous le poids d'un objet qu'il portait en bandoulière, un objet épais et brun qui touchait le sol.

— Qu'est-ce qu'il fait avec cette bûche ? demanda Linotte.

— Je ne pense pas que ce soit une bûche, répondit Rosalind.

— Ça ressemble à une bûche, insista la petite fille.

Trente-quatre, trente-cinq, trente-six pas.

Lucas regarda enfin par-dessus son épaule. L'espace d'une seconde, Rosalind lui trouva un air malheureux, mais celui-ci fut vite effacé par un sourire. Il se retourna lentement, et la grosse chose brune, visiblement très lourde, se retrouva cachée derrière lui, encore plus mystérieuse.

— Mère, les Penderwick sont là.

Mme Tifton leur fit face. Les sœurs souhaitèrent immédiatement qu'elle se retourne dans l'autre sens. Traverser cette pièce dans son dos n'était rien comparé au fait de la parcourir sous ses yeux. Oh, quel regard ! Plus tard, les filles tenteraient de le décrire à leur père. Dur comme de l'acier, dirait Rosalind. Non, un regard de rapace, dirait Skye. J'ai tout de suite compris qu'elle n'aimait pas les animaux, ajouterait Linotte. On aurait dit la belle-mère dans *Cendrillon*, préciserait Jeanne, avec son regard glacial. Elle est pourtant jolie, dirait Rosalind. Jolie, tu parles ! s'exclamerait Skye. On aurait dit que son visage allait se fissurer au moindre sourire.

En résumé, Mme Tifton n'était pas le genre de personne avec qui on avait envie de discuter, et encore moins de partager un repas. S'il n'y avait pas eu Lucas, Rosalind aurait aussitôt fait demi-tour avec ses sœurs. Mais elles ne pouvaient pas abandonner leur ami, pas comme ça, pas le jour de son anniversaire.

Elles continuèrent donc d'avancer. Quarante-neuf, cinquante, cinquante et un, cinquante-deux et enfin cinquante-trois pas.

— Halte ! murmura Rosalind.

Ses sœurs obéirent.

— Ah ! dit Mme Tifton.

Pendant un instant qui sembla durer des heures, elle observa les Penderwick.

— Voici donc les jeunes filles avec qui mon fils passe tout son temps. Qu'en penses-tu, Denis ?

Denis était un bel homme, les filles en conviendraient toutes. Il avait des cheveux bruns légèrement grisonnants aux tempes, et une moustache distinguée. Malheureusement, il en semblait trop conscient.

— Charmant, dit-il avec un sourire narquois.

Rosalind avait déjà vu ce genre de sourire, mais jamais aussi sournois. Elle fut à nouveau tentée de s'enfuir, quitte à passer pour une lâche, mais elle vit alors que Lucas avait repris son air triste. Elle leva le pouce dans sa direction, comme Thomas un peu plus tôt, et fut récompensée par un sourire.

— Allons, Lucas, fais les présentations, déclara Mme Tifton.

— Voici Rosalind, l'aînée.

— Bonsoir, Rosalind. Quelle robe ravissante !

Rosalind se figea. Que devait-elle faire ? Avec toutes ces histoires, elle n'avait pas pensé que Mme Tifton pourrait reconnaître ses robes.

— Tu l'as trouvée à l'Armée du Salut, c'est bien ça, Rosy ? demanda Skye.

— Oui, tout à fait.

Elle lui était reconnaissante d'avoir volé à son secours, mais elle aurait préféré qu'elle trouve une autre explication !

— Je vois, dit Mme Tifton d'un air pincé.

— Et voici Skye, Jeanne et Linotte, s'empressa de dire Lucas.

— Je vous présente M. Dupré, dit Mme Tifton en posant une main possessive sur le bras de Denis. Alors, Lucas, qu'attends-tu pour leur montrer ton cadeau d'anniversaire ?

Lucas se retourna sans enthousiasme et souleva péniblement son cadeau. Ce n'était pas une bûche. C'était un grand sac de golf.

— Pose-le, Lucas, et montre-nous tes clubs.

Lucas fit glisser la bandoulière de son épaule et recula d'un pas. Le sac faillit tomber. Lucas le rattrapa au dernier moment et en sortit un club.

— C'est un driver, expliqua-t-il. On s'en sert pour frapper les balles.

— Je ne savais pas que tu aimais le golf, Lucas, dit Skye.

— Eh bien...

— C'est un magnifique sac de golf, dit Rosalind.

— Un sac digne d'un roi, renchérit Jeanne.

— M. Dupré est un excellent joueur, expliqua Mme Tifton. Il a fait en sorte que Lucas puisse prendre des cours au club de loisirs.

— Un club de loisirs digne des rois, dit Jeanne.

— Seulement les rois qui ont le privilège d'en être membres, dit Denis en lissant sa moustache d'un air complaisant. C'est un club privé.

— Un club de loisirs privé digne... commença Jeanne, mais Skye lui donna un coup de coude dans les côtes.

Rosalind espéra que ce geste avait échappé à Mme Tifton, même si Skye avait eu raison d'intervenir. De toute évidence, Jeanne était entrée en mode « La nervosité me fait dire n'importe quoi ».

— Allons, Lucas, fais asseoir tes invitées, lui conseilla Mme Tifton.

Lucas lâcha la bandoulière de son sac qui se mit à nouveau à vaciller. Malgré la tentative de Skye pour le rattraper, il s'écrasa lourdement par terre, manquant de peu les talons hauts de Mme Tifton.

— Lucas, au nom du ciel, fais attention ! Ces clubs m'ont coûté une fortune.

— Pardon, Mère.

Il redressa le sac puis le traîna jusqu'à un coin de la pièce où il l'appuya contre le mur.

— Bien ! dit Mme Tifton. Nous allons enfin pouvoir nous asseoir. Denis, sers-moi un verre de vin.

La table n'était pas aussi longue que la pièce, mais sept convives ne suffisaient pas à la remplir : les sept couverts étaient mis d'un côté et une surface vide et désolée s'étendait de l'autre. Mme Tifton était assise à un bout. Elle fit signe à Lucas de s'asseoir à sa droite, et Denis se plaça à sa gauche. Lucas conduisit Rosalind à la chaise jouxtant celle de Denis, et Linotte, qui tenait toujours la main de sa grande sœur, s'assit à côté d'elle. Jeanne et Skye se battirent pour s'installer à côté de Lucas, avant de trouver un arrangement : elles échangeraient au moment du dessert.

Rosalind aurait bien voulu éviter le sournois Denis, mais elle préférait épargner ce supplice à ses sœurs. Alors qu'elle se tournait vers Linotte pour ne pas être obligée de lui parler, elle vit deux ailes de papillon disparaître sous la table. Elle les rattrapa au dernier moment et remit doucement Linotte à sa place.

— Reste assise.

— Ça ne me plaît pas, ici.

— Moi non plus, mais tu dois rester là.

Rosalind regarda ses deux autres sœurs de l'autre côté de la table. Skye parlait à Lucas et donnait des coups de cuillère sur son verre en cristal (pourvu qu'il ne se casse pas !), Jeanne observait fixement le plafond. Qu'est-ce qui pouvait bien attirer son attention ?

Rosalind leva les yeux à son tour : le plafond entier était recouvert d'une immense fresque représentant des hommes et des femmes en toge qui se prélassaient et mangeaient du raisin.

— Il a coûté les yeux de la tête, dit Denis.

— Pardon ? demanda-t-elle en sursautant.

— Le plafond. Pour le peindre, l'artiste français a dû s'allonger sur un échafaudage, exactement comme Michel-Ange dans la Chapelle Sixterne. L'arrière-grand-père de Mme Tifton a déboursé des mille et des cents pour ce chef-d'œuvre.

Rosalind avait entendu parler de ce Michel-Ange à l'école, et elle savait qu'il avait peint le plafond d'un célèbre édifice, mais elle aurait parié qu'il ne s'agissait pas de la Chapelle Sixterne. Néanmoins, comme il était impoli de corriger un adulte, aussi bête soit-il, elle préféra ignorer Denis et la fresque. Elle observa plutôt les peintures qui ornaient les murs de la salle à manger. Des portraits, en majorité. À en juger par la suffisance évidente de leurs sujets, elle devina qu'il s'agissait de parents de Mme Tifton. Surtout cet homme à l'air sévère, juste derrière Skye, vêtu d'un uniforme olivâtre recouvert de médailles. Il n'avait pas l'air d'aimer plaisanter.

— Rosalind, je vous présente mon cher papa, le général Framley, déclara Mme Tifton. Dites-moi, à votre avis, qui lui ressemble comme deux gouttes d'eau ?

— Vous ? proposa Rosalind, qui aurait bien aimé qu'on la laisse tranquille.

— Moi ? (Elle émit un petit rire.) Bien sûr que non. Je parlais de Lucas. C'est le portrait craché de son grand-père.

Skye s'étrangla de rire, et Jeanne regarda tour à tour Lucas et le portrait d'un air dubitatif. Rosalind retint son souffle : elle savait que l'une comme l'autre étaient capables de conseiller à Mme Tifton d'aller s'acheter des lunettes. Mais la paix fut préservée grâce à Churchie qui entra à ce moment-là, poussant un chariot en argent. Rosalind se détendit enfin.

— Le dîner est servi ! s'écria gaiement Churchie.

Elle leur apporta les plats délicieux sans cesser de papoter :

— Vous devez être affamés !... Tout le monde est absolument splendide... On n'a pas tous les jours onze ans... Attention à ne pas salir ses ailes !

Elle pinça la joue de Linotte en faisant cette dernière remarque. Lorsqu'elle quitta la pièce, Rosalind se remit à s'inquiéter. Il y avait peu de chances que le repas se déroule sans incidents. Toutefois, si tout le monde se taisait, elles ne risqueraient rien.

Comme si elle avait lu dans ses pensées et voulait la contrarier, Mme Tifton entama la conversation.

— Mesdemoiselles, je dois m'excuser pour l'absence de cavaliers. Nous espérions la venue de Teddy Robinette, l'ami de Lucas, mais il a attrapé un mauvais rhume au dernier moment.

— Lucas nous a parlé de Teddy, dit Skye. Pas vrai, Lucas ?

— Hum, hum, fit Lucas en tripotant sa serviette.

— Un gentil garçon issu d'une très bonne famille, poursuivit Mme Tifton. Et maintenant, parlez-moi de vous. J'aime tout savoir sur les amis de Lucas. Commençons par Skye, dit-elle en regardant Jeanne.

— Je suis Jeanne.

— Excuse-moi, mais il faut reconnaître que vous êtes nombreuses.

— Je joue au football.

Elle hésita et regarda Rosalind qui lui fit un signe d'encouragement.

— Et j'écris des livres. En ce moment, je travaille sur…

— Comme c'est intéressant ! l'interrompit Mme Tifton. Il se trouve que M. Dupré ici présent travaille dans le monde de l'édition. Il pourra peut-être te donner quelques conseils.

— Vraiment ? demanda Jeanne.

— Bien sûr, petite. Apporte-moi ton livre quand tu l'auras terminé.

— Super ! D'accord ! Merci ! s'exclama Jeanne, rayonnante.

Rosalind en eut le cœur serré. Elle avait horreur que des gens indignes de confiance débitent des promesses qu'ils ne tiendraient jamais.

— Et toi, Rosalind ?

— Je parie qu'elle veut devenir mannequin, dit Denis en montrant toutes ses dents.

— Mannequin ! s'écria Skye, indignée.

Skye avait perdu son sang-froid, mais désormais Rosalind s'en moquait.

— Ça n'a pas d'importance, commenta-t-elle néanmoins pour la calmer.

— Bien sûr que si ! s'écria Skye. Aucune d'entre nous ne fera quelque chose d'aussi stupide !

Mme Tifton lui jeta un regard assassin, vida son verre et s'en servit un autre.

— Vraiment ? Et qu'est-ce que tu feras, toi ?

— Je serai mathématicienne, répondit Skye du tac au tac, ou peut-être astrophysicienne. Jeanne sera écrivain, évidemment, et Rosalind n'a pas encore fait son choix, mais d'après papa elle a l'étoffe d'une diplomate.

— Et je suppose que ta petite sœur sera Présidente des États-Unis ? siffla Mme Tifton.

Tous les yeux se tournèrent vers Linotte, qui tenta de se cacher derrière une carafe d'eau.

— Elle veut devenir vétérinaire, répondit Jeanne. Mais papa pense qu'elle sera une femme aux talents multiples.

— Ça veut dire qu'elle sera douée pour plein de choses différentes, expliqua Skye.

— M. Dupré et moi-même savons ce que cela signifie, Jeanne, la reprit Mme Tifton.

— Moi, c'est Skye.

— Des yeux bleus comme le ciel, enchaîna Jeanne. C'est comme ça qu'on la reconnaît. Vous voyez, nous autres avons toutes les yeux marron.

Mme Tifton la dévisagea comme si elle avait des yeux violets rayés de jaune.

— Eh bien, Denis, nous ne connaissons peut-être pas grand-chose à l'astrophysique, mais au moins nous savons ce que fera Lucas quand il sera grand.

— Nous aussi, ajouta Skye. Il sera musi… aïe !

Lucas lui avait donné un coup de pied sous la table.

— Papa et moi avons pris notre décision il y a très longtemps, alors que Lucas n'était encore qu'un bébé. Il étudiera à l'Académie militaire de Pencey, puis à West Point, comme papa, et il deviendra soldat. Un jour, Lucas sera lui aussi un général courageux et apprécié de tous.

Elle se retourna sur sa chaise et leva son verre en direction du portrait de son père.

— À la tienne, papa. Tu nous manques.

CHAPITRE 9

Des nouvelles choquantes

—Je vous ai déconseillé de venir, mais vous ne m'avez pas écouté. Je savais que ce serait affreux, dit Lucas.

Lui et les quatre sœurs se trouvaient sur la large véranda de pierre qui faisait le tour du manoir. Ils avaient pris la fuite dès que possible, après le gâteau d'anniversaire. De toute façon, l'annonce de Mme Tifton leur avait coupé l'appétit, surtout avec ce vieux général sinistre qui les surveillait et semblait leur dire : « Un jour, Lucas sera comme moi. »

— Ce n'était pas si terrible que ça, dit Jeanne.

— Oh si ! fit Skye. Lucas a raison.

— Chut ! Ils vont nous entendre ! souffla Rosalind en jetant un coup d'œil par les grandes portes-fenêtres de la salle à manger.

Mme Tifton et Denis buvaient leur café à table.

— Je me fiche bien qu'ils m'entendent. C'était le pire anniversaire de toute l'histoire de l'humanité. Vous n'auriez pas dû assister à ça. C'était humiliant.

— C'était en partie notre faute, tu sais, dit Rosalind. Nous avons contrarié ta mère.

— Jeanne et son club de loisirs digne des rois, soupira Skye.

— Et toi et ton astrophysique, alors ? protesta Jeanne.

— À vrai dire, ce moment-là m'a bien plu, dit Lucas en souriant.

— Tu ne nous avais jamais parlé de l'Académie militaire de Pencey, dit Jeanne.

— Je n'aime pas en parler. D'ailleurs, Grand-père n'y est entré qu'à douze ans, alors Mère pense que je peux encore attendre un an. Tout peut arriver en une année. Elle pourrait même oublier tout ça, pas vrai ?

— Bien sûr, répondit Jeanne qui n'avait pourtant pas l'air convaincu.

— Tu ne lui as pas dit que tu ne voulais pas y aller ? demanda Rosalind.

— Dès que j'essaie, elle se met à vanter les mérites de mon grand-père et à me dire que je lui fais penser à lui. Vous trouvez que j'ai une allure de soldat, vous ?

— Ça, non, répondit fermement Skye.

— Tu pourrais quand même faire un héros redoutable, ajouta Jeanne.

— Merci, mais je détesterais faire la guerre, dit-il en se laissant tomber sur un banc de pierre. Et le golf ! Je déteste le golf ! Je n'arrive pas à croire que Mère m'ait acheté ces stupides clubs. Maintenant je vais devoir subir ces cours au club de loisirs. Autant m'achever tout de suite.

— Ne sois pas si triste, dit Linotte en s'asseyant à côté de lui. Nous avons d'autres cadeaux pour toi.

Tandis que Jeanne courait les récupérer dans le pavillon grec, Rosalind s'efforça de remonter le moral de Lucas en lui racontant comment Crapule avait vomi sur les chaussures de Skye. Skye et Linotte mimèrent la scène, Skye dans son propre rôle et Linotte dans celui de Crapule. Elles avaient presque réussi à lui faire oublier Pencey et le golf (l'espace d'un instant, elles crurent même qu'il allait rire) lorsque Jeanne revint.

— Les voici, emballés comme il se doit ! dit-elle en laissant tomber le sac à ses pieds.

— Par contre il n'y a pas de carte d'anniversaire, dit Rosalind.

— Il y en avait une, mais Crapule l'a mangée, expliqua Linotte.

Le premier cadeau était un livre, de la part de Rosalind et de Jeanne (et aussi de M. Penderwick, parce qu'elles n'avaient pas eu assez d'argent), sur de célèbres chefs d'orchestre, avec plein de photos. Lucas le trouva bien plus intéressant que les clubs de golf. Skye lui offrait un chapeau de camouflage identique au sien. En le mettant, Lucas parut plus heureux qu'il ne l'avait été de toute la soirée.

Le troisième présent venait de Linotte, et seule Rosalind savait de quoi il s'agissait. Lucas secoua le paquet, qui ne produisit aucun son.

— Qu'est-ce que c'est ? demanda-t-il.

— Ouvre-le ! dit Linotte, tout excitée.

— Animal, végétal ou minéral ?

— Ouvre-le !

C'était une photographie encadrée de Crapule.

— Oh, merci, dit Lucas avec un grand sourire. Elle me plaît beaucoup.

— Linotte, s'exclama Jeanne, c'est ta photo pré-férée ! Celle que tu poses toujours à côté de ton lit !

— Elle a dit qu'elle voulait la donner à Lucas, intervint Rosalind. Je lui ai demandé quatre fois. Pas vrai, Linotte ?

— Oui. Peut-être qu'il voudra bien me la prêter de temps en temps.

— Linotte ! Tu ne peux pas dire ça ! dit Rosalind.

Lucas attrapa la petite fille et se mit à la chatouiller jusqu'à la faire hurler de rire. Jeanne s'apprêtait à se joindre à la mêlée lorsque Skye leva une main en l'air et leur demanda de se taire.

— J'entends de la musique.

Tout le monde tendit l'oreille. La musique semblait s'échapper d'autres portes-fenêtres, un peu plus loin sur la véranda.

— Ça vient du salon, dit Lucas. Allons voir.

Ils avancèrent tous les cinq à pas de loup et regar-dèrent discrètement dans la pièce. Comme il faisait presque nuit, les personnes à l'intérieur ne pouvaient pas les voir.

C'était Mme Tifton et Denis, et ils dansaient.

— C'est une valse, chuchota Lucas.

— Comment tu le sais ? demanda Skye.

— Mère m'a fait prendre des cours de danse l'an-née dernière. Attends, je vais te montrer, dit-il en lui prenant les mains. Un, deux, trois. Un, deux, trois.

Il avança et lui rentra dedans.

— Tu es censée reculer quand j'avance. Ça s'ap-pelle suivre.

— Oublie ça, dit Skye. Demande à Rosalind.

Lucas s'approcha de Rosalind et recommença sa manœuvre.

— Un, deux, trois. Un, deux, trois.

Cette fois, son guidage fonctionna et ils valsèrent sur la véranda.

Jeanne attrapa Linotte et les imita.

— Regarde, chuchota-t-elle, tout excitée, on y arrive, nous aussi !

Oubliant de regarder où elle mettait les pieds, elle poussa Linotte contre un énorme pot de fleurs : elles s'effondrèrent toutes les deux, secouées de rire. Soudain, Skye se rua vers elles et les poussa hors de la véranda.

— Cachez-vous ! souffla-t-elle à Lucas et à Rosalind.

En une seconde, ils se retrouvèrent tous les cinq derrière un épais buisson. Ils entendirent Mme Tifton et Denis.

— Il n'y a personne, Rebecca, dit Denis.

— J'ai cru entendre quelque chose.

— Sans doute Lucas qui s'amusait avec l'une de ses petites amies.

Skye fit semblant de vomir, et Lucas aurait éclaté de rire si Rosalind ne lui avait pas plaqué la main sur la bouche.

— Ne dis pas une chose pareille, il est bien trop jeune pour avoir une petite amie. Et, le moment venu, il choisira une jeune fille d'une situation égale à la sienne. Pas comme ces Penderwick, que je trouve un peu vulgaires, pas toi ? Elles ne sont absolument pas de notre classe.

— Personne n'est de ta classe, chérie.

— Flatteur.

Les filles entendirent presque Mme Tifton se rengorger.

— Sérieusement, Dex, je m'inquiète de l'influence de ces filles sur Lucas. Je ne le reconnais plus depuis leur arrivée.

— Tu te fais trop de souci. Dans quelques semaines, elles seront parties et oubliées. Allez, dansons.

Pendant un instant, les enfants ne perçurent plus que le claquement des talons de Mme Tifton. Un, deux, trois. Un, deux, trois. Derrière le buisson, plus personne ne faisait le pitre ou n'avait envie de rire. Il aurait été difficile de dire qui était le plus mal à l'aise. Peut-être Lucas, qui avait le visage cramoisi de honte. Mais l'orgueil de la famille Penderwick avait été gravement blessé. Skye avait un air belliqueux et Rosalind s'en voulait énormément. Elle savait qu'on risquait d'entendre des propos déplaisants lorsqu'on laissait traîner des oreilles indiscrètes. Son père le lui avait appris depuis bien longtemps. Son cher papa, comme il mépriserait ce que cette femme venait de dire. « La classe est une chose innée », rétorquerait-il. Sans doute en latin.

— Imagine que nous sommes à Paris, Rebecca, reprit Denis. Ferme les yeux. Nous valsons sur les bords de Seine.

— Mmm, Paris, dit Mme Tifton, comme si elle dégustait une glace au chocolat. Je n'y suis pas allée depuis des années, pas depuis que papa m'y a emmenée pour mon seizième anniversaire. Je n'ai pas voyagé depuis des années.

— Nous ne serions pas obligés de nous contenter

de Paris. Nous pourrions visiter Copenhague, Londres, Rome, Vienne, tout ce que tu voudras. Allez, décidons d'une date.

— Nous en avons déjà parlé.

— J'ai besoin que nous en parlions à nouveau. Combien de temps vais-je encore devoir attendre ? Tu sais que je veux t'épouser, Rebecca, et t'offrir une merveilleuse lune de miel.

— Et tu sais que je veux être ta femme.

Lucas poussa un cri si fort que Rosalind crut qu'ils allaient l'entendre. Mais ils étaient trop absorbés l'un par l'autre.

— Alors pourquoi attendre ? Explique-moi, mon amour.

— Lucas…

— Il s'agit de nous, pas de Lucas.

— Si seulement je savais ce qui est le mieux pour lui.

— Ce qui est le mieux pour sa mère est le mieux pour lui, et moi je sais ce dont sa mère a besoin.

S'élevèrent alors des bruits douteux : ils devaient s'embrasser. Rosalind boucha les oreilles de Linotte et jeta un coup d'œil à Lucas. Il avait le visage enfoui dans ses mains. Qu'allait-il encore devoir endurer ? La musique s'arrêta et Denis reprit la parole.

— Je me suis renseigné sur Pencey. Tu sais qu'ils acceptent des élèves dès l'âge de onze ans ? Pourquoi ne pas y envoyer Lucas à la rentrée ?

— Tu veux dire en septembre ? Le mois prochain ? Denis, c'est mon bébé !

— Je sais bien, mais plus tôt il commencera, plus

il aura de chances d'être admis à West Point. Je sais à quel point c'était important pour ton père.

— Pour lui, cela comptait plus que tout, puisqu'il n'a pas eu de fils pour suivre ses traces.

— En tout cas, je connais quelqu'un qui est ravi que le général ait eu une fille.

Les horribles bruits de baisers recommencèrent et semblèrent durer une éternité. Lorsque les deux amoureux finirent par se séparer et retournèrent dans le salon, les enfants restèrent silencieux, n'osant pas se regarder. Finalement, Rosalind toucha l'épaule de Lucas.

— Tout ira bien, dit-elle.

Lucas se dégagea et se leva.

— Je dois y aller.

— On se voit demain ? demanda Skye.

— Bien sûr, répondit-il en s'essuyant rageusement les yeux. Merci d'être venues.

— Bon anniversaire, Lucas, dit Jeanne.

— N'oublie pas tes cadeaux, ajouta Linotte.

Mais il était déjà parti. Les sœurs remontèrent tristement sur la véranda pour rassembler ses présents.

— On a de la chance que Mme Tifton n'ait pas remarqué tout ce bazar, commenta Rosalind en faisant une boule avec les papiers-cadeaux froissés.

— Elle était trop occupée à embrasser ce Denis, dit Skye en donnant un coup de pied dans le banc.

— Rosalind, demanda Linotte, est-ce que Lucas avait raison de dire que c'était le pire anniversaire de tous les temps ?

— Bien sûr que non.

— Mais pas loin, fit Skye en balançant un autre coup de pied dans le banc.

Tard ce soir-là, dans sa chambre au grenier, Jeanne termina un autre chapitre de son livre. Mme Atrocifer annonçait à Arthur qu'elle comptait le garder prisonnier pour toujours.

« — Pourquoi ? Pourquoi ? s'écria-t-il.

— J'aime te tourmenter, caqueta-t-elle.

— S'il vous plaît, je vous en prie, laissez-moi partir ! supplia Arthur.

— Jamais ! hurla-t-elle avant de quitter la pièce.

Arthur tambourina violemment contre les murs de sa prison. Il aurait fait n'importe quoi pour s'évader. Où était Sabrina Starr ? Quand reviendrait-elle le chercher ? Aurait-elle trouvé un moyen de le faire sortir par la fenêtre et de l'emmener dans sa montgolfière ? »

Jeanne posa son stylo et ferma son carnet. Elle savait qu'elle aurait dû aller se coucher, mais elle n'avait pas du tout sommeil. Elle n'arrêtait pas de penser aux événements de la soirée, particulièrement à la fin, lorsque Lucas était parti en courant, seul dans le noir. Quelle terrible manière d'apprendre que sa mère était sur le point de se marier ! Et que l'homme qu'elle allait épouser voulait l'expédier à l'école militaire un an plus tôt que prévu !

Jeanne avait besoin de parler à quelqu'un. Elle enfila ses pantoufles, descendit l'escalier sur la pointe des pieds et poussa la porte de Skye.

— Skye, tu dors ?

— Oui.

— Je dois te parler de Lucas.

— Va-t'en ou je te tue.

Jeanne referma la porte, avança dans le couloir et poussa la porte de Rosalind. Bien que la lumière soit éteinte, elle n'était pas dans son lit. Debout à la fenêtre, elle regardait dehors.

— Rosalind ?

Elle se retourna.

— Oh, Jeanne, tu m'as fait peur.

— Qu'est-ce que tu faisais ?

— Je réfléchissais à… à un tas de choses. Pourquoi n'es-tu pas encore endormie ?

Jeanne s'assit sur le lit.

— Je n'arrête pas de m'inquiéter pour Lucas.

— On a déjà parlé de ça en rentrant à la maison. Nous ne pouvons rien faire pour l'instant.

— On pourrait demander à papa de l'adopter.

— Ne raconte pas de bêtises, dit Rosalind en s'asseyant à côté d'elle.

— On pourrait écrire une lettre à Mme Tifton et lui expliquer pourquoi Lucas ne doit pas aller à l'école militaire.

— L'adoption serait encore une meilleure idée. Va te coucher, Jeanne, il est tard.

— Tu as raison.

Elle se leva, puis se rassit.

— Il y a autre chose dont j'aimerais te parler.

— Vas-y, soupira Rosalind en s'allongeant.

— Tu penses que ce serait déloyal vis-à-vis de Lucas si je demandais à Denis de m'aider pour mon livre ? C'est un véritable éditeur. Je n'aurai peut-être plus jamais l'occasion d'en rencontrer un. C'est peut-être ma dernière chance.

— Le problème n'est pas d'être loyale ou pas

118

envers Lucas. Le problème, c'est de savoir si Denis était vraiment sincère en proposant de t'aider. Or, connaissant le personnage, j'en doute. Ce n'est pas ta dernière chance. Tu n'as que dix ans. Alors oublie tout ça et va te coucher.

Jeanne remonta dans sa chambre et se glissa dans son lit. Elle se dit que sa sœur avait raison, que c'était idiot de compter sur un sale type comme Denis. Mais elle eut alors une idée, et se rassit brusquement. Peut-être que Denis n'était pas toujours méchant. Peut-être qu'il avait deux facettes, comme ce Docteur Jekyll, le personnage de la pièce que les CM2 avaient montée au printemps passé. Docteur Jekyll était un homme charmant jusqu'au jour où il but une mystérieuse potion qui le transforma en l'horrible Mr Hyde (interprété à la perfection par Tommy Geiger, l'ami de Rosalind, qui portait pour l'occasion une fausse barbe noire). Et si Denis, le méchant petit ami de Mme Tifton, n'était que la mauvaise facette du bon M. Dupré, un éditeur sage et bienveillant qui serait ravi d'aider de jeunes écrivains à accomplir leur destin ? C'était ce personnage-là, M. Dupré, qui avait dit au dîner qu'il jetterait un coup d'œil au livre de Jeanne.

Jeanne reposa la tête sur son oreiller. C'était une théorie, valable ou pas. Mais elle la garderait pour elle, sinon ses sœurs allaient se moquer d'elle. En attendant, elle travaillerait dur pour écrire le meilleur livre possible. Elle ferma les yeux, s'endormit, et rêva toute la nuit qu'elle était un auteur célèbre et reconnu.

CHAPITRE 10

Une évasion audacieuse

Le lendemain, Lucas arriva au pavillon pour jouer au foot comme si de rien n'était. Mais quelque chose avait changé, et tout le monde le savait. Désormais, une double menace pesait sur Lucas : Denis et l'école de Pencey, et il ignorait quelle phase se réaliserait en premier, et quand. Par ailleurs, plus de la moitié du séjour des Penderwick à Arundel s'était écoulé, ce qui n'arrangeait pas les choses. Dans un peu plus d'une semaine, les quatre sœurs retourneraient à Cameron. Partir sans connaître l'avenir de Lucas ? Et sans savoir si elles le reverraient un jour ? C'était impensable.

Un nouveau problème s'ajoutait à cela : Mme Tifton était plus présente que jamais. D'après Lucas, c'était à cause de la compétition de jardinage qui approchait. Sa mère voulait à tout prix qu'Arundel remporte le premier prix. Elle passait donc la majeure partie de son temps dehors, à faire tout un plat de petits détails et à harceler Thomas. Et les enfants, par la même occasion. S'ils avaient le malheur d'envoyer le ballon sur la statue de l'homme à l'éclair (qui faisait un très bon gardien de but), Mme Tifton les réprimandait. S'ils faisaient des paris sur la grenouille qui sauterait le plus haut dans la mare, elle leur reprochait de déranger les pauvres bêtes. S'ils se reposaient à l'ombre d'une tonnelle de roses, elle inventait quelque chose pour les faire déguerpir.

C'était dur surtout pour Linotte. Car si ses trois sœurs détestaient Mme Tifton, elle, elle en avait peur. Comme elle l'expliqua un soir à Crapule, Mme Tifton était la personne la plus méchante qu'elle avait jamais vue. Tellement méchante que les fleurs fanaient sur son passage. Bon, c'était un peu exagéré, mais Crapule, lui, voyait bien ce qu'elle voulait dire par là. Alors la petite fille faisait tout pour l'éviter, généralement en se cachant derrière un buisson ou l'une de ses sœurs. Mais un jour, Mme Tifton la surprit alors qu'elle était seule, et les conséquences furent désastreuses.

Tout commença un matin, quelques jours après le dîner d'anniversaire.

— S'il te plaît, Rosalind, quémanda Linotte qui tenait à la main deux grosses carottes.

— Linotte, je t'ai déjà dit que je t'emmènerais voir les lapins, mais pas maintenant.

Rosalind préparait un gâteau au chocolat tout en lisant un livre sur la guerre de Sécession que Thomas lui avait prêté. Elle comptait bien trouver quelque chose d'intéressant à lui dire sur les généraux et les batailles célèbres la prochaine fois qu'elle le verrait.

Mais Linotte se moquait bien de tout ça.

— Thomas dit que les lapins attendent ma visite chaque matin. Ils vont penser que je les ai bandonnés.

— *A*bandonnés.

— Ils vont penser que je les ai *a*bandonnés.

— Je suis en train de faire un gâteau, et ensuite je dois terminer ma lettre à Anna pour que papa puisse la poster quand il ira en ville. Alors ce sera soit plus tard, soit pas du tout. Ça fait une semaine et demie que tu vois les lapins chaque matin. Tu peux bien sauter un jour.

— Non.

— Je suis désolée, ma puce. Pourquoi ne demandes-tu pas à Jeanne ou à Skye de t'accompagner ?

— Parce qu'elles vont dire non.

— Demande-leur. Si elles refusent, je te promets que nous irons ensemble plus tard, d'accord ?

Linotte sortit dans le jardin avec ses carottes. Jeanne et Skye peignaient un visage sur un grand cercle en carton. Ce visage avait une grosse moustache, un sourire narquois et, au cas où ça n'aurait pas suffi, les initiales DD étaient inscrites en dessous.

— Jeanne, Rosalind ne peut pas m'emmener voir Yann et Carla. Tu veux bien venir avec moi ?

— Désolée. Thomas a réussi à mettre des embouts en caoutchouc sur les flèches, et Lucas va les apporter pour qu'on puisse s'entraîner au tir. Demande à papa.

— Il est parti cueillir des plantes.

Linotte regarda Skye sans trop y croire.

— N'y pense même pas, minus.

L'air sombre, Linotte se dirigea vers l'enclos où Crapule dormait sur le dos, les pattes en l'air. Et si elle y allait toute seule ? Elle s'appuya contre la

122

clôture et considéra cette possibilité. « Reste dans la cour », c'était la règle. Mais personne n'avait vraiment précisé où se terminait la cour. Elle pourrait peut-être poser la question à Rosalind. Ou alors, aller voir les lapins et lui demander ensuite. Que faire ? Elle allait consulter Crapule.

— Crapule ! Réveille-toi !

Il se contenta de grogner en roulant sur le côté. Il n'en fallut pas plus à Linotte : après s'être assurée que personne ne la regardait, elle se dirigea vers la haie. Sois aussi vive qu'un lapin, se dit-elle en se précipitant dans le tunnel de Lucas, puis dans les jardins. Elle fit un bref détour par la mare aux nénuphars pour dire bonjour aux grenouilles puis, haletante mais triomphante, elle atteignit la porte de Thomas et frappa.

Il n'était pas chez lui, mais ce n'était pas grave. C'était déjà arrivé et elle savait exactement quoi faire, car il le leur avait expliqué. Elle devait appeler Yann et Carla, ouvrir la porte, glisser les carottes, puis regarder les lapins à travers le grillage. « Mais n'oubliez jamais le plus important ! les avait-il prévenues. Il faut bien refermer la porte, sinon Yann risque de la pousser avec son museau et de s'enfuir, et il ne peut pas survivre dehors. Un renard le tuerait, ou bien un faucon ou un aigle. Carla mourrait de solitude, parce que les deux lapins sont les meilleurs amis du monde. »

Linotte appuya le visage contre le grillage et regarda à l'intérieur. Yann et Carla dormaient sur le tapis, côte à côte, museau contre museau.

— Réveillez-vous, dit-elle doucement.

Carla, puis Yann, penchèrent une oreille dans sa

direction. Une minute plus tard, ils s'étiraient, bâillaient et entamaient leur danse du réveil, qui consistait à courir en rond, à bondir et à changer de direction en l'air avant de repartir dans l'autre sens.

Linotte ouvrit lentement la porte et posa ses deux carottes par terre. Même si elle savait qu'elle n'avait pas le droit, elle ne put s'empêcher de passer le nez à l'intérieur, au cas où Yann voudrait venir se frotter contre elle. Cette erreur lui fut fatale. Alors qu'elle avait encore le visage à l'intérieur, elle entendit un son familier et redouté derrière elle, sur l'allée en brique qui menait à la porte de Thomas. Tap, tap, tap, tap, tap.

Prise de panique, elle fit volte-face et s'aperçut que la situation était encore pire qu'elle ne l'avait craint. Il n'y avait pas seulement Mme Tifton, mais aussi Denis ! Elle oublia les carottes. Elle oublia les lapins. Et la règle suprême de Thomas.

— Mon Dieu, Denis, encore une de ces Penderwick ! dit Mme Tifton. Dépêche-toi de retourner chez toi, Linette. Ton père n'a pas loué tout le domaine, tu sais.

Linotte se sentait aussi désemparée qu'une mouche prise dans une toile d'araignée. Elle ne désirait qu'une chose : retourner le plus vite possible chez elle. Mais passer devant ces deux adultes lui était impossible.

— Pourquoi ne dit-elle rien ? demanda Mme Tifton. Elle n'a pas non plus parlé pendant l'anniversaire de Lucas, tu as remarqué ?

— Peut-être que quelque chose ne tourne pas rond chez elle, dit Denis en se tapant la tête de manière significative.

— À moins qu'elle ne soit sourde, dit Mme Tifton en se penchant vers Linotte. Tu m'entends ?

Linotte se fichait qu'ils la croient sourde, mais cela l'ennuyait que Denis puisse penser qu'elle ne comprenait pas le sens de son geste. Elle savait qu'il la croyait folle. Je ne suis pas folle, espèce de vieux méchant, pensa-t-elle. Et elle se concentra de toutes ses forces sur la moustache de Denis, priant pour qu'elle devienne verte et orange ou qu'elle tombe par terre. Si bien qu'elle ne remarqua pas que, derrière elle, la porte s'ouvrait lentement. Yann et ses tendances à la fuite ne lui revinrent en tête que lorsque la porte lui rentra dans le dos. Elle poussa un cri confus, une sorte de mélange de Yann et de non, « YANNNON ! » et se jeta contre la porte pour la refermer. Trop tard, Yann était déjà passé. Linotte sentit sa fourrure frôler sa cheville, vit un éclair brun qui détalait dans l'allée, et puis plus rien. Yann avait disparu dans les jardins.

Les adultes n'avaient rien remarqué, à part le cri de Linotte. Mme Tifton se redressa, mécontente.

— « Yannnon ! » Quand elle se décide à ouvrir la bouche, ça ne veut rien dire.

— Tu sais ce que j'en pense, dit Denis en se tapant à nouveau la tête.

— Tu as peut-être raison. Voilà un autre motif de se réjouir que sa famille s'en aille bientôt. Plus que sept jours, dit-elle en enlaçant Denis. Viens, notre Thomas doit être ailleurs.

Et ils s'éloignèrent.

Linotte était sous le choc. Elle avait tout gâché. Venir ici seule était une grosse, grosse erreur. Elle avait désobéi à Rosalind, elle avait désobéi à Thomas, et elle avait contrarié Mme Tifton. Mais le pire, c'est que d'autres allaient payer à sa place. Yann et Carla mourraient bientôt à cause de sa propre faiblesse. Méchante, méchante Linotte. Elle ne pouvait pas retourner voir Rosalind. Il n'y avait plus qu'une chose à faire. Trouver Yann et le ramener chez lui.

Lorsque Rosalind termina sa lettre, son gâteau était cuit. Elle le sortit du four, le laissa refroidir, puis le coupa et enveloppa soigneusement quatre parts dans de l'aluminium. Elles étaient pour Thomas. L'autre jour, en arrosant le rosier, il lui avait dit qu'il adorait le gâteau au chocolat, et que c'était son plat préféré, avec les hot dogs du stade de base-ball. Mais elle ne l'avait pas préparé pour lui, se dit-elle en collant un joli nœud jaune sur le papier. Comme elle l'avait écrit à Anna, elle ne s'abaisserait jamais à cuisiner pour attirer l'attention d'un garçon. Ni à faire étalage de ses connaissances sur la guerre de Sécession. Il se trouvait que son père adorait lui aussi les gâteaux au chocolat, et que la guerre de Sécession était un sujet vraiment passionnant, même si elle ne s'en était jamais rendu compte auparavant.

Linotte n'était pas revenue la voir. Elle devait avoir réussi à convaincre Jeanne de l'accompagner voir les lapins, ou alors elle avait commencé un jeu et les avait complètement oubliés. Elle envisagea un instant d'aller chercher sa sœur avant d'aller porter le gâteau à Thomas. Ce serait quand même plus drôle de voir Thomas sans ses petites sœurs dans les pattes, décida-t-elle avec une légère pointe de culpabilité.

Sans le savoir, Rosalind emprunta exactement le même chemin que Linotte, jusqu'au détour par la mare aux grenouilles. Rosalind adorait cet endroit. Elle le trouvait paisible, mais aussi un peu triste. Il lui faisait toujours penser à Ophélie, la petite amie d'Hamlet, qui avait perdu la raison et s'était noyée. À moins que ce ne soit Hamlet qui ait perdu la raison. Elle ne se le rappelait jamais, et Anna disait qu'il fallait qu'elle soit folle elle-même pour lire Shakespeare. Mais la mère de Rosalind avait toujours aimé cet auteur et le citait souvent. « Je t'en prie, Rosalind, ma douce enfant, retrouve la joie. » Sa mère devait lui avoir dit ça des centaines de fois. Ces derniers temps, Rosalind pensait très souvent à sa mère et elle se demandait si elle aurait apprécié Thomas (même s'il lui paraissait invraisemblable que quelqu'un puisse ne pas l'aimer). Il est parfait, pensa-t-elle en cueillant un lis qu'elle se mit derrière l'oreille.

Elle repartit en direction de la remise, toujours en prenant un chemin détourné : elle et ses sœurs avaient appris à éviter Mme Tifton. Elle fit donc le tour de la mare, dépassa le vieil entrepôt, s'engagea dans l'allée aux lilas, et…

Sa chance avait tourné : elle se retrouva face à face avec Mme Tifton et Denis.

— C'en est trop, vraiment trop ! s'écria Mme Tifton. Des Penderwick partout, un véritable essaim de saute-relles ! Et je peux savoir qui t'a donné la permission de cueillir mes lis ?

Rosalind porta la main à son oreille, mortifiée.

— Personne… Je suis désolée, je n'aurais pas dû.

— En effet, tu n'aurais pas dû, tout comme tu ne devrais pas te trouver dans mes jardins. Je commence à en avoir assez de vous avoir dans les jambes.

— Je suis désolée, répéta Rosalind. J'apportais juste du gâteau à Thomas.

— Le plus court chemin vers le cœur d'un homme, et cetera, et cetera, dit Mme Tifton. Rappelle-moi de cuisiner pour toi de temps en temps, Denis.

— Mon cœur t'appartient déjà, chérie.

— Oui, évidemment, dit-elle en se recoiffant d'un air complaisant. Bien, Rosalind, tu peux laisser ton offrande à la remise, mais si tu espères voir Thomas, sache que je l'ai envoyé acheter du paillis. Ensuite, dépêche-toi de retourner de l'autre côté de la haie, et si ta petite sœur traîne toujours dans les parages, emmène-la avec toi.

— Linotte ?

— Linette, Linotte…

— Celle avec des ailes, dit Denis en prononçant le mot « ailes » comme s'il s'agissait d'une chose très vulgaire et indécente.

Le ventre de Rosalind se noua.

— Vous avez vu Linotte à la remise ?

— N'est-ce pas ce que je viens de dire ? Maintenant, file.

Rosalind partit à toute vitesse, sans savoir ce qui la bouleversait le plus : les commentaires fielleux de Mme Tifton, ou la présence de Linotte dans les jardins. Avait-elle décidé d'aller voir les lapins ? Elle savait pourtant bien qu'elle n'avait pas le droit de se promener toute seule ! Rosalind se rua vers l'appartement de Thomas, sans remarquer que la fleur dans ses cheveux était tombée. Quand elle arriva, elle ne vit aucun signe de Linotte. Était-elle vraiment venue ? Elle jeta un coup d'œil à travers la porte grillagée, et ce qu'elle vit ne la rassura pas. Il y avait deux grosses carottes posées sur le paillasson. Ce n'était pas normal. Yann n'aurait jamais laissé deux carottes intactes.

— Les lapins !

Rien. Elle les appela de nouveau et, cette fois, un petit museau sortit de sous le canapé. C'était Carla. Elle regarda longuement Rosalind d'un air triste puis disparut.

Qu'avait fait Linotte ?

Au moment où Rosalind cueillait le lis près de la mare, Jeanne visait le visage de Denis sur la cible en carton, désormais clouée à un arbre. Elle tira.

— C'est la troisième fois que tu manques la cible, dit Skye. Tu es aveugle ou quoi ?

— Enlève ton chapeau, Jeanne, dit Lucas.

Elle portait un chapeau de pluie jaune parce que Jeanne et Lucas avaient tous les deux leur chapeau de camouflage et qu'elle ne voulait pas être la seule à avoir la tête nue. Mais ce n'était pas pour ça qu'elle avait manqué son coup. Elle voyait très bien. C'était le manque de concentration. Elle était trop occupée à chercher un moyen d'intégrer des arcs et des flèches dans son livre.

Elle tira une quatrième flèche. Elle pourrait peut-être s'en servir dans la scène de la montgolfière. Sabrina tirerait une flèche à laquelle serait accroché un mot pour Arthur. Non, elle avait déjà utilisé des pigeons voyageurs pour lui faire parvenir des messages. Attendez... Elle avait une idée ! Sabrina pouvait attacher à la flèche une corde reliée à la montgolfière. Arthur s'en servirait pour rapprocher la montgolfière de sa fenêtre, puis il grimperait sur la branche de l'arbre et sauterait dans la nacelle. Oh, c'était parfait !

Elle tira une nouvelle fois… Bing !

— En plein dans le mille ! s'écria-t-elle.

— Première touche pour Jeanne, dit Lucas.

— Tu ne l'as pas mise dans le mille, dit Skye. Tu ne vas pas abattre Denis avec un coup oblique dans la pommette.

Elle s'approcha de la cible et désigna une petite entaille dans le carton, la seule marque laissée par la flèche de Jeanne. À cause des embouts en caoutchouc, les flèches rebondissaient sur la cible et retombaient mollement sur le sol.

— Ce n'est pas ma marque ! protesta Jeanne. Je l'ai touché au nez.

— Ça m'étonnerait.

— Il faudrait mettre quelque chose sur les flèches pour qu'elles laissent des marques plus nettes, dit Lucas.

— Du sang, dit Skye.

— Ou du ketchup.

— Je vais en chercher pendant que vous tirez, dit Jeanne, et elle partit en courant.

Avant d'atteindre la maison, elle entendit l'aboiement de Crapule. Cela n'avait rien d'étrange, car il aboyait tout le temps. Sauf que cet aboiement-là signifiait « Quelque chose ne tourne pas rond dans mon monde ». Jeanne savait qu'il pouvait aussi bien s'agir d'une feuille tombée dans sa gamelle que d'un éléphant ayant pénétré dans la cour, mais elle se précipita tout de même vers l'enclos.

Crapule bondit vers elle en jappant de plus belle.

Elle ne remarqua pourtant rien d'anormal. Ses gamelles étaient pleines, il n'avait pas l'air blessé, et il n'y avait rien de changé dans son enclos. Il y avait toujours des trous partout le long de la clôture. M. Penderwick les comblait aussi vite que le chien les creusait.

— Qu'est-ce qu'il y a, andouille de chien ?

— Wouaf, wouaf, wouaf ! répondit Crapule en grattant la clôture comme un forcené.

— Tu te sens seul, c'est ça ? Pauvre Crapule. Mais tu dois rester là. Tu ferais des bêtises avec les flèches.

— Wouaf, répliqua Crapule, qui se moquait bien des flèches.

Il devait absolument, sur-le-champ, sortir de cet enclos pour aller sauver quelqu'un.

Si Linotte avait été là, elle aurait compris. Mais, justement, elle n'était pas là, et c'était une des raisons de son inquiétude. Malheureusement, Jeanne ne s'y connaissait pas assez en langage canin.

— Désolée, mon pote, dit-elle en s'éloignant.

Elle avait à peine fait une dizaine de pas qu'elle entendit un bruit fracassant suivi d'un jappement triomphant. Elle se retourna juste à temps pour voir Crapule atterrir du mauvais côté de la clôture et partir comme une flèche. Crapule s'enfuyait !

Il était établi depuis bien longtemps qu'une seule sœur Penderwick ne pouvait attraper Crapule. Il en fallait au moins deux, voire trois, surtout si cette troisième était Linotte. Jeanne avait besoin d'aide. Elle courut chercher Skye et Lucas.

— C'est Crapule ! haleta-t-elle. Il a sauté par-dessus la clôture et s'est enfui !

Lucas jeta son arc par terre.

— Mère a passé toute la journée à inspecter les jardins pour la compétition de jardinage. Si elle voit Crapule, elle va péter les plombs ! Elle ne sait toujours pas qu'il y a un chien ici.

Ils s'engagèrent tous les trois dans le tunnel à la vitesse de l'éclair et tombèrent sur Rosalind.

— Yann a disparu. Je pense que Linotte l'a laissé s'échapper, dit-elle d'un air paniqué. Nous devons le retrouver avant le retour de Thomas.

— Et Crapule s'est évadé de son enclos, dit Skye.

Un silence de mort s'installa alors qu'ils prenaient tous conscience de l'horreur de la situation. Puis les trois sœurs se mirent à parler en même temps.

— Du calme ! s'écria Lucas en levant les bras en l'air. Crapule peut arriver d'une minute à l'autre. Skye, garde le tunnel et empêche-le de passer.

— D'accord.

— Nous, nous allons chercher Yann. Je m'occupe de la partie entre la mare et ici.

— Moi je vais chercher dans les parterres de fleurs qui longent la haie, dit Jeanne.

— Et moi, entre ici et la remise, au cas où il serait resté près de chez lui, dit Rosalind.

Lucas et Jeanne filèrent chacun de son côté. Rosalind se dirigea lentement vers la remise, s'accroupissant pour regarder sous chaque feuille et chaque fleur, derrière chaque urne et chaque statue. Le soleil et les ombres lui jouaient des tours et, à plusieurs reprises, des taches blanches qu'elle avait prises pour Yann s'avérèrent n'être que des fleurs ou des pierres. Lorsqu'elle atteignit enfin le parterre qui longeait l'allée, elle était tellement découragée qu'elle faillit ignorer une autre forme blanche. Mais lorsque celle-ci se mit à remuer d'une façon peu commune pour une fleur, elle mit ses mains en visière, plissa les yeux et poussa un profond soupir de soulagement. C'était bien Yann qui mastiquait une feuille, tranquillement blotti dans un lit de capucines.

— Oh, Yann ! Dieu merci, tu n'as rien. Tu te souviens de moi et de toutes les carottes que je t'ai données avec ma sœur ?

Yann s'arrêta de mâcher et pencha la tête de côté. Il semblait se souvenir des carottes en question. Rosalind crut même le voir hocher la tête avant de reprendre son repas. Elle se mit à quatre pattes et s'approcha du fugueur. Sa progression était lente et silencieuse mais Yann, tout en grignotant, gardait un œil brillant fixé sur elle.

Rosalind pensait que tout était rentré dans l'ordre. Elle allait attraper Yann. Elle n'était plus qu'à quelques centimètres de lui. Encore un petit peu, et...

Un méli-mélo d'aboiements et de hurlements frénétiques s'éleva soudain derrière elle.

— Non ! s'écria-t-elle.

Yann détala. Elle le vit courir en zigzags vers la mare aux nénuphars. Elle ne connaissait qu'une seule créature assez rapide pour le rattraper et, manque de chance, celle-ci comptait bien y parvenir. Crapule avait de toute évidence réussi à échapper à Skye et fonçait droit sur Yann. Skye lui courait après, et Jeanne et Lucas essayaient également de l'attraper avant qu'il atteigne Yann.

Comme si cela ne suffisait pas, Rosalind entendit

un autre cri accompagné d'un claquement de talons hauts sur l'asphalte de l'allée.

— QU'EST-CE QUE FAIT CE CHIEN DANS MON JARDIN ?

Une Mme Tifton hors d'elle fondait sur Rosalind. Elle essaya de se mettre à courir, mais le talon d'une de ses chaussures se cassa, et elle trébucha. Autant dire que cela n'améliora pas son humeur.

— Rosalind ! hurla-t-elle d'une voix stridente.

Mais Rosalind n'avait plus le temps d'être polie, et elle lui tourna le dos. Elle savait qu'elle était trop loin pour voler au secours de Yann et elle ne put qu'assister à la scène, impuissante. Skye et Jeanne avaient été distancées. Seul Lucas était toujours dans la course. Il effectua un superbe plongeon devant le chien, mais celui-ci l'esquiva sans problème. Il y eut un horrible silence puis le hurlement horrifié de Jeanne résonna dans les jardins. Ce cri ne pouvait signifier qu'une seule chose, et Rosalind se mit à pleurer. Elle détestait pleurer, mais elle détestait encore plus la souffrance et la mort, et elle se détestait elle-même car elle allait devoir annoncer à Thomas que Crapule avait tué Yann.

Et voilà que ce pauvre chien, ce stupide meurtrier, galopait vers elle avec une boule marron et blanche dans la gueule. Lucas, Jeanne et Skye le suivaient, épuisés et abattus. Mme Tifton s'approchait elle aussi en boitant, jurant dans sa barbe. Rosalind s'essuya les yeux. Elle était l'AP. Elle pouvait gérer ça. Elle se redressa et attendit.

Crapule la rejoignit en bondissant joyeusement et déposa Yann à ses pieds. Il aboya. Ne suis-je pas merveilleux ? Ne suis-je pas fantastique ?

Rosalind le regarda sévèrement mais n'eut pas le cœur de le gronder. Une seconde plus tard, Lucas, Skye et Jeanne arrivèrent à leurs côtés. Jeanne sanglotait. Skye agrippa le collier de Crapule et le serra comme si elle ne voulait plus jamais le lâcher. Lucas, pâle mais alerte, se plaça devant le petit corps duveteux pour le cacher à sa mère.

— À qui est ce chien ? C'est ton chien ? demanda Mme Tifton en regardant Rosalind d'un air accusateur.

— Oui, madame, répondit-elle.

— Je te dis de sortir de mon jardin, et toi, tu ramènes cet énorme chien dégoûtant qui piétine mes pieds-d'alouette ? Trois jours avant le concours du Club de jardinage ? Comment oses-tu ? Et d'ailleurs, personne ne m'a dit que vous aviez un chien !

— Je suis désolée, ça ne se reproduira plus.

— Je suis désolée, je suis désolée, c'est tout ce que tu sais dire. Mais tu as raison, ça ne se reproduira plus. Je vais en parler à votre père. Je lui dirai que vous vous introduisez continuellement dans ma propriété.

Elle se tourna vers Jeanne.

— Et pourquoi pleures-tu, Skye ?

— Pour rien, répondit Jeanne, le visage baigné de larmes.

— Hum. Rentre à la maison, Lucas.

— Dans une minute.

— Maintenant ! Denis veut te donner quelques conseils sur ton swing.

— J'aimerais les aider à ramener Crapule au pavillon de vacances, Mère. C'est important. Ensuite, je rentrerai à la maison.

Mme Tifton le foudroya du regard, mais il lui rendit

un regard tout aussi redoutable. Les Penderwick ignoraient comment tout ça allait se terminer. Finalement, ce fut la mère de Lucas qui baissa les yeux en premier. Furieuse, elle s'éloigna d'une démarche chancelante.

— Nous ne voulons pas t'attirer des ennuis, dit Rosalind. Tu n'avais pas besoin de lui désobéir.

— Si, au contraire. C'est très important, dit-il en s'accroupissant devant Yann, qu'il caressa doucement.

Heureusement, il n'y avait pas de sang.

— Est-ce qu'on doit l'enterrer ? demanda Skye.

— On doit attendre Thomas, dit Rosalind.

— Thomas ! s'écria Jeanne en fondant à nouveau en larmes.

— On pourrait au moins le mettre dans une boîte.

Lucas ramassa le lapin et le serra contre lui. Rosalind refoula ses larmes et toucha une dernière fois le joli petit animal. Il était encore chaud. Elle aurait presque pu croire qu'il était toujours vivant. Elle le sentait presque respirer.

— Oh, cria-t-elle. Regardez !

Tout le monde poussa un cri. Yann avait ouvert les yeux ! Il avait l'air aussi surpris qu'eux.

— Il est en vie ? demanda Jeanne.

— Il va bien ? renchérit Skye.

Rosalind et Lucas le palpèrent et ne décelèrent rien d'anormal.

— Mais oui ! s'écria Lucas. Crapule n'a pas tué Yann ! Il l'a juste attrapé pour nous !

Crapule aboya fièrement. Ne suis-je pas génial ? Ne suis-je pas formidable ?

Tout le monde se jeta sur le chien en poussant des cris de joie.

— Lucas, dit Rosalind, ramène Yann dans l'appartement de Thomas. Tout de suite, avant qu'une autre catastrophe se produise. Nous allons rentrer Crapule et l'enfermer dans la maison.

Mais Crapule n'était pas du tout d'accord. Lorsque Skye tira sur son collier pour le faire bouger, il tira dans l'autre direction et se remit à aboyer furieusement.

— Qu'est-ce qu'il a encore ? demanda Jeanne.

Ses aboiements devinrent de plus en plus forts.

— WOUAF, WOUAF, WOUAF, WOUAF !

— Qu'est-ce qui l'inquiète comme ça ? demanda Lucas. Vous comprenez ?

— Il n'y a que Linotte qui...

Rosalind s'interrompit et se mit à regarder autour d'elle d'un air affolé.

— Linotte ! Où est Linotte ?

CHAPITRE 11

Un autre sauvetage

Linotte avait pris la décision de retrouver Yann. Elle passa tous les recoins du jardin d'Arundel au peigne fin en l'appelant et en le suppliant de se montrer. Elle fit trois fois le tour des statues, des urnes, des fontaines et des parterres de fleurs, mais ne trouva aucun lapin. Le désespoir s'abattit sur elle : Yann était parti pour de bon. Il ne lui restait qu'une seule chose à faire, à supposer qu'elle soit assez courageuse.

Elle l'était, se dit-elle sévèrement. Et donc, au moment où Rosalind quittait la maison avec son gâteau, Linotte escalada le petit mur de pierre qui marquait la limite d'Arundel, à l'arrière du manoir. Elle rentrait chez elle. Pas à la maison de vacances, mais dans sa vraie maison, à Cameron. Là-bas, il n'y avait ni Mme Tifton ni Yann disparu, et elle n'aurait pas à revoir Thomas ni Carla à qui elle avait brisé le cœur. Elle arriverait à la tombée de la nuit, dormirait dans son propre lit, et quand son père et ses sœurs rentreraient à leur tour, peut-être qu'ils ne seraient plus trop en colère contre elle.

Elle connaissait le chemin. Arundel se trouvait dans les montagnes, pas Cameron : elle devait donc descendre. Et lorsque le terrain deviendrait plat, elle n'aurait qu'à suivre le soleil, car Skye avait dit un jour que Cameron se situait à l'est d'Arundel et que l'est – bien qu'elle ne sache pas ce que c'était – avait un rapport avec le soleil. Malheureusement, celui-ci se retrouva rapidement à la verticale et ne lui donna plus aucun indice. Elle poursuivit néanmoins sa route.

Si elle n'avait pas été si triste, elle aurait apprécié la première partie de son voyage. Elle traversait des champs pleins de fleurs sauvages colorées qui se balançaient au gré du vent, de gros insectes qui sautaient à hauteur de son nez, et même des papillons qui la suivaient d'un champ à l'autre, la prenant apparemment pour une reine des papillons géante. Lorsqu'elle eut si chaud qu'elle crut qu'elle allait mourir, elle trouva un petit ruisseau. Elle entra dans l'eau et s'y assit en pensant qu'il était bien agréable de ne pas avoir de SPPA pour l'en empêcher.

Mais la plus belle surprise se trouvait dans le pré jouxtant le ruisseau : derrière une barrière, deux chevaux attendaient que Linotte vienne leur offrir de grosses poignées de trèfle. Elle en profita jusqu'au moment où elle remarqua que l'un des chevaux avait des taches marron comme celles de Yann, et que l'autre était blanc comme Carla. Ils se frottaient l'un contre l'autre avec beaucoup d'affection. Comme ce serait triste, pensa-t-elle, si l'un des deux s'enfuyait et que l'autre se retrouvait seul pour toujours.

Elle leur dit au revoir et s'en alla.

— Elle n'est pas dans les jardins, constata Rosalind.

Elle venait de retrouver Lucas, Skye et Jeanne devant la statue de l'homme à l'éclair pour faire un compte rendu de la situation.

— J'ai fouillé la remise, ma maison et j'ai demandé à Churchie : elle n'a pas vu Linotte de la journée, dit Lucas. Et Thomas n'est toujours pas rentré.

— Elle n'est pas à la maison, fit Jeanne. J'ai fouillé toutes les chambres, regardé sous tous les lits, dans l'armoire-passage secret, partout.

— Et je l'ai cherchée dans notre jardin, renchérit Skye.

Rosalind abrita ses yeux du soleil et regarda au loin, dans une direction puis dans l'autre, priant pour apercevoir une petite fille avec des ailes. Mais il n'y avait rien à part des arbres et des montagnes au loin. Elle était très pâle.

— Il faut en parler à papa.

— Il n'est pas encore revenu.

— Alors que doit-on faire ? Que pouvons-nous faire ? demanda Rosalind. Oh, tout est ma faute ! Et j'ai promis… j'ai promis à maman que je m'occuperais d'elle.

Ses jambes cédèrent et elle tomba dans l'herbe en sanglotant. Jeanne lui caressa maladroitement les cheveux, mais cela ne fit que redoubler ses larmes.

— Nous devons retrouver Linotte, dit Skye à Jeanne et Lucas.

— Et Crapule ? interrogea Lucas.

— Quoi, Crapule ?

— Il ne peut pas suivre la trace des gens ?

Les trois Penderwick le dévisagèrent. Pourquoi n'y avaient-elles pas pensé ? Rosalind reprit des couleurs et se releva subitement.

— Allons-y, s'écria-t-elle, et ils partirent tous en courant.

Dans la maison, Crapule aboyait comme un forcené. Dès que Rosalind ouvrit la porte, il se précipita dehors, manquant renverser Jeanne au passage. Mais Lucas l'attrapa et le retint le temps de lui expliquer ce qu'il devait faire.

— Jeanne, va chercher un objet appartenant à Linotte, dit Rosalind.

Il ne lui fallut que quelques minutes pour leur rapporter Phanty, la peluche de Linotte. Rosalind colla l'éléphant bleu sous le museau de Crapule.

— Trouve Linotte, dit-elle.

Crapule la regarda avec un profond dédain. Il connaissait son travail, merci.

— Je crois qu'il a compris, dit Lucas.

— Je l'espère, fit Rosalind. Lâchons-le et suivons-le.

Crapule se rua à la vitesse de l'éclair vers le tunnel dans la haie.

Linotte marchait en plein soleil depuis plus de deux heures. Elle l'ignorait, puisqu'elle n'avait pas de montre et que, de toute façon, elle ne savait pas lire l'heure. Tout ce qu'elle savait, c'est qu'elle avait faim, soif et sommeil. Elle venait d'arriver à une route. Il ne semblait pas y avoir beaucoup de circulation : elle se tenait là depuis plusieurs minutes déjà et aucune voiture n'était passée. Mais une route restait une route, et son père lui avait formellement interdit de traverser seule.

Elle avait le cafard. Il lui semblait de plus en plus difficile d'atteindre Cameron avant la tombée de la nuit, et elle eut soudain envie de faire demi-tour et de rentrer à la maison de vacances. Mais c'était impossible. Elle devait continuer, et donc traverser cette route. Elle regarda à gauche, à droite, et encore à gauche. Toujours rien. Elle ferma les yeux pour se donner du courage, posa un pied hésitant sur le bitume, puis s'arrêta. Elle avait entendu quelque chose. Avait-elle rêvé ? Non, elle l'entendit encore. Un aboiement ! Linotte fit volte-face et vit le chien le plus merveilleux du monde qui fonçait droit sur elle.

— Crapule ! s'écria-t-elle en ouvrant les bras.

Il se jeta sur elle, et ils roulèrent tous les deux par terre, fous de joie. Mais le bonheur des retrouvailles ne dura pas longtemps, car, quelques secondes plus tard, elle entendit des cris. Elle leva la tête et vit Lucas qui courait vers elle et, derrière lui, ses trois sœurs qui hurlaient toutes en même temps. Même si elles étaient trop loin pour qu'elle puisse comprendre leurs paroles, elle se doutait bien qu'il s'agissait du pauvre Yann et de sa propre méchanceté. Elle se releva vivement, attrapa le collier de Crapule et essaya de le tirer sur la route.

— Viens ! On doit s'enfuir !

Crapule freina des quatre fers. Il était hors de question qu'il la laisse traverser cette route. Elle tira dans un sens et lui dans l'autre jusqu'à ce que, désespérée, elle le relâche. S'il ne voulait pas l'accompagner, alors elle partirait seule. Elle ferma de nouveau les yeux et se précipita sur la route, juste au moment où une voiture apparaissait.

— C'était incroyable, papa ! s'écria Jeanne. Lucas l'a arrachée à la mort !

— Tu lui fais peur, dit Skye. La voiture était encore loin.

— Moi, j'ai eu peur, déclara Rosalind. J'étais terrifiée.

Elle attrapa le petit bras de Linotte. Elle ne voulait plus jamais le relâcher.

— Et Lucas m'a portée sur son dos jusqu'à la maison, ajouta Linotte en se blottissant sur les genoux de M. Penderwick avec Phanty. Rosalind, raconte-nous encore comment Crapule a sauvé Yann.

— Nous avons déjà entendu quatre fois cette histoire, dit M. Penderwick. Il est temps d'aller se coucher.

La famille était réunie autour de la table de la cuisine, après le dîner.

— Non, papa, pas encore, dit Linotte qui se sentait très bien là où elle était.

— Encore un tout petit peu, alors, dit son père, qui n'aurait rien pu lui refuser ce soir-là. Mais je dois parler sérieusement à tes sœurs, alors laissons un instant de côté ces histoires de chien et de lapins, d'accord ?

— D'accord, dit Linotte, qui s'endormit instantanément, la tête sur son épaule.

— Mme Tifton m'a appelé cet après-midi.

— Oh, oh, fit Skye.

— Elle était très contrariée, à juste titre, d'avoir vu Crapule dans ses jardins. Je me suis excusé et lui ai promis que cela n'arriverait plus, et je le pensais, dit-il en jetant un coup d'œil à Crapule qui, sous la table, terminait un steak grillé rien que pour lui. Mais cela n'a pas été le moment le plus difficile de la conversation. Elle m'a aussi dit, de façon assez grossière, que je n'exerçais pas suffisamment d'autorité sur mes filles.

— Oh ! s'exclama Rosalind, offensée.

— Que lui as-tu répondu ? demanda Skye.

— *Satis eloquentiae, sapientiae parum.*

Ses filles le fixèrent d'un regard vide.

— Oui, bon, Mme Tifton ne s'y connaît pas plus en latin que vous, Dieu merci. Ce n'était pas une réponse très polie, d'autant moins qu'elle a probablement raison.

— Bien sûr que non ! dit Rosalind.

— Regarde ce qui s'est passé aujourd'hui. Je n'aurais jamais pu me le pardonner si Linotte s'était perdue pour de bon.

— Mais nous l'avons retrouvée ! s'exclama Skye.

— Mme Tifton ne sait pas de quoi elle parle, papa, affirma Jeanne. Tu es un père parfait.

— Je suis loin d'être parfait, ma petite Jeanne, dit-il en secouant la tête. Et ce n'est pas tout. Mme Tifton semble penser que les Penderwick ont une mauvaise influence sur Lucas. Apparemment, lorsqu'elle lui a demandé de rentrer chez lui après l'incident avec Crapule, non seulement il a refusé, mais en plus il n'est rentré qu'une heure plus tard.

— C'est parce qu'il cherchait Linotte ! s'écria Skye.

— Je le sais, et vous le savez aussi, mais Mme Tifton

est persuadée que Lucas est devenu rebelle à cause de vous.

— Si Lucas se rebelle, c'est à cause de cet horrible Denis, dit Skye, pas de nous.

— Qui est Denis ?

— Le petit ami de Mme Tifton, répondit Rosalind. Et il n'est pas très gentil.

— Mais pas aussi méchant que Mme Tifton, enchaîna Jeanne.

— Presque, fit Skye d'un air sombre. On se demande comment elle peut le supporter.

— Les gens font parfois des choix surprenants lorsqu'ils se sentent seuls, dit M. Penderwick.

— Mme Tifton, se sentir seule ? s'étonna Rosalind, qui n'y avait pas pensé un seul instant.

— Bon sang, vous n'allez pas non plus la prendre en pitié ! s'indigna Skye. On ne peut pas plaindre quelqu'un qui pense que nous, les Penderwick, avons une mauvaise influence sur Lucas !

— Ce n'est pas vrai, hein, papa ? demanda Jeanne.

— Je n'ai rien vu chez Lucas qui me laisse croire qu'il est sous une quelconque mauvaise influence, et surtout pas la vôtre. C'est un garçon formidable. Et maintenant qu'il a sauvé Linotte…

— Pour la deuxième fois ! s'écria Jeanne.

Skye fronça les sourcils pour la faire taire. Heureusement, Crapule choisit ce moment pour jeter son os dans sa gamelle d'eau, provoquant une inondation qui détourna l'attention de Rosalind et de M. Penderwick. Lorsqu'ils eurent réparé les dégâts, M. Penderwick reprit la parole.

— Comme je l'ai déjà expliqué, dans certaines

cultures, on considère que lorsqu'une personne sauve une vie, il ou elle possède à jamais une partie de l'âme de l'être secouru. Alors, que cela lui plaise ou non, Lucas est dorénavant lié à notre famille.

— C'est assez romantique, dit Jeanne.

— Romantique, tu parles ! râla Skye. Qu'est-ce que Lucas pourrait bien faire avec l'âme de Linotte ?

— Il pourrait m'épouser, suggéra Linotte, qui venait d'ouvrir des yeux ensommeillés.

— T'épouser !

Jeanne et Rosalind éclatèrent de rire. Skye, qui était tombée de sa chaise, se roula par terre comme Crapule lorsque son dos le grattait.

— Quoi qu'il en soit… reprit M. Penderwick.

Ses filles connaissaient bien cette voix empreinte de sérieux, et elles se calmèrent aussitôt. Skye se rassit.

— … nous devons nous rappeler que nous sommes des hôtes à Arundel. Je sais que Mme Tifton n'est pas la plus chaleureuse des femmes. D'ailleurs, la seule fois où je l'ai vue, avec Thomas, elle a essayé de m'impressionner avec ses connaissances sur la *Campanula persicifolia*, et elle a prononcé ça *Campanula persi*picolia… Mais je m'égare. Ce que je veux vous dire, c'est que quoi que vous pensiez d'elle, vous devez néanmoins vous conduire le mieux possible dans sa propriété.

— Tu as raison, papa, dit Rosalind. Nous serons de parfaites demoiselles.

— Pas moi, rétorqua Skye. Par contre, je serai un parfait gentleman.

— Au final, ça revient au même, remarqua Jeanne.

— Ce n'est pas du tout la même chose.

— Si, c'est...

— Ça suffit. *Tacete*, conclut M. Penderwick en se levant, Linotte dans les bras. Allons nous coucher, la journée a été longue.

CHAPITRE 12

Sir Barnaby Parterre

Les trois aînées Penderwick se mirent d'accord pour ne pas parler à Lucas des états d'âme de Linotte ni de ses projets de mariage. Linotte elle-même n'en souffla pas mot devant lui. Crapule, en revanche, n'ignorait aucun détail sur cette cérémonie, pour laquelle il serait chien d'honneur, mais il savait garder les secrets de Linotte. Les filles ne voulaient pas embêter Lucas avec ce genre d'informations : il avait bien assez de soucis comme ça.

Ce n'était pas seulement la double menace de l'école militaire et de Denis, ni le dédain évident de Mme Tifton à l'égard des Penderwick, ni même sa première leçon de golf au club de loisirs, qui avait réussi à attiser sa haine pour ce sport. Il y avait aussi le concours du Club de jardinage. Mme Tifton avait découvert que le juge serait un jardinier anglais très distingué, Sir Barnaby Parterre, et elle ne tolérerait pas un échec devant un homme dont le nom était précédé d'un titre de noblesse. Ça, jamais ! Si bien que son obsession pour le concours avait viré à la folie. On l'avait même surprise un jour en short et baskets à arracher des mauvaises herbes en parlant toute seule.

Cette ambiance n'était pas très agréable pour Lucas et les Penderwick. Les enfants passaient tout leur temps du côté du pavillon de vacances et attendaient impatiemment (n'oublions pas que les filles devaient quitter Arundel à la fin de la semaine) que le concours soit terminé. Ils tirèrent d'innombrables flèches, jouèrent au foot et même, un jour de désespoir, à cache-cache. Et puis le moment fatidique arriva. Il ne leur restait qu'à éviter les jardins un jour de plus, laisser Mme Tifton recevoir son prix des mains de Sir Machinchose, et tout reviendrait à la normale.

— Tu es en retard, dit Skye lorsque Lucas arriva. Tu étais censé prendre le petit déjeuner avec nous.

Elle et Jeanne étaient assises sur la véranda.

— On t'en a gardé quelques-unes, fit Jeanne en désignant une assiette de crêpes aux myrtilles.

— Il fallait que j'attende le bon moment pour me sauver en douce, expliqua Lucas.

Il sortit une brochure de sa poche et la tendit à Skye.

— « L'Académie militaire de Pencey. Là où les garçons deviennent des hommes, et où les hommes deviennent des soldats », lut Skye.

— Regardez ce pauvre bougre, déclara Jeanne en montrant la photo d'un garçon raide comme un piquet engoncé dans un uniforme bleu.

— Jetez un coup d'œil à la liste des cours, au dos. Il n'y a pas de musique à part l'orchestre des cuivres. Je mourrai si je vais là-bas. Je deviendrai cinglé et je mourrai.

— Au diable, ce foutu Denis ! s'emporta Skye. Au diable, ce gros nul imbécile et bon à rien !

Rosalind et Linotte sortirent de la maison juste à temps pour entendre la fin de sa diatribe.

— Vous parlez encore de Denis ?

— Évidemment, répondit Jeanne.

— Grrrr, fit Skye.

— J'ai bien réfléchi, dit Lucas en haussant les épaules. Ça ne me dérange pas de partir en pension, surtout si ma mère épouse Denis. Mais pourquoi ne m'envoie-t-elle pas dans un endroit où je serai heureux ? Je connais un garçon dont la sœur étudie dans une pension à Boston. Comme ça, le samedi, elle peut suivre des cours d'alto au Conservatoire de musique de Nouvelle-Angleterre. J'aimerais faire la même chose.

— Lucas, tu dois simplement en parler à ta mère, dit Rosalind.

— Comment ? Elle ne m'a même pas encore averti qu'elle voulait se marier.

— Grrrr, refit Skye.

— Pauvre Lucas, le plaignit Linotte en posant sa petite main sur la joue du garçon. Rosalind et moi allons chercher des feuilles de pissenlit pour Yann et Carla. Thomas dit que les lapins adorent ça. Viens avec nous, on va bien s'amuser.

— Il ne peut pas, lui opposa Skye. On a besoin de lui pour jouer au foot.

— Une autre fois, petite Linotte.

— Skye et Jeanne, n'oubliez pas de rester de ce côté de la haie dans les prochaines heures, les mit en garde Rosalind. Churchie a téléphoné pour nous rappeler que les membres du Club de jardinage n'allaient pas tarder à arriver.

— Tu nous l'as déjà dit, fit remarquer Jeanne.

— Eh bien, je vous le répète. Papa va garder Crapule à l'intérieur avec lui, au moins jusqu'au déjeuner. On ne pourra aller dans les jardins que lorsque ces gens seront partis. D'accord ?

Personne ne répondit. Skye et Jeanne étudiaient la brochure sur Pencey, et Lucas dévorait ses crêpes d'un air sombre. Rosalind haussa le ton.

— SKYE ! JEANNE ! Ne mettez pas les pieds dans les jardins avant la fin du concours ! Et n'oubliez pas de vous conduire en parfaites demoiselles, ou gentlemen, ce que vous préférez.

— On sait, Rosalind.

— Ne t'inquiète pas, renchérit Lucas.

— Ça fait des jours qu'on est sages, expliqua Skye. Il faudrait être stupide pour tout gâcher maintenant.

— Parce que Mme Tifton…

— Tout ira bien. Ne t'en fais pas.

— Viens, Rosalind, dit Linotte en la tirant par le bras. On a promis à Thomas.

Et Rosalind se laissa entraîner.

— Écoutez ça, déclara Jeanne, toujours plongée dans le prospectus. « À Pencey, nous forgeons des tempéraments solides et d'une moralité exemplaire grâce à beaucoup de travail, à une discipline stricte et à une activité physique rigoureuse. »

— Je ne veux pas en entendre plus, dit Lucas.

Il lui arracha le papier des mains et le jeta par terre.

— Jouons plutôt au foot !

C'était au tour de Skye de décider du type de jeu. Elle choisit un jeu à deux contre un, mélange de cross, de guérilla et de passe à dix, parfait pour ce type de terrain, avec tous les arbres et les herbes hautes. C'était encore plus drôle avec deux ballons, et ça tombait bien, car M. Penderwick avait réparé celui que Crapule avait mordu. Le ballon de Lucas avait été baptisé Denis quelques jours auparavant. Skye cracha sur le second et le nomma officiellement Académie militaire de Pencey avant de le lancer en l'air. La partie avait commencé.

Lucas, ce jour-là, attaquait les balles en véritable sauvage, avec une fureur inouïe. Il gagnait le contrôle de Pencey à la moindre occasion et l'envoyait violemment sur les arbres, les rochers, tout ce qu'il avait sous la main, à tel point que les filles crurent que la balle allait exploser. Skye, cela dit, n'était pas en reste. Les malheurs de Lucas la faisaient bouillir et, à défaut de pouvoir punir Denis en personne, elle se vengeait sur le ballon qui portait son nom. Mais Jeanne était la pire des trois. Elle s'inquiétait pour Lucas et son inquiétude, combinée à ce jeu, faisait ressortir sa facette la plus agressive. Elle se transforma en un personnage plus coriace que Jeanne, plus coriace même que Sabrina Starr. C'est ainsi qu'apparut Mick Hart, le si talentueux joueur anglais de Manchester, qu'elle avait imaginé six mois plus tôt après un match terrible pendant lequel elle s'était fait écrabouiller par un avant-centre de deux fois sa taille. Quand Jeanne se transformait en Mick, elle ne ressentait plus la douleur et pouvait manœuvrer tous les avants-centres de la planète. Ses fans et ses coéquipiers lui vouaient un véritable culte et, surtout, elle ne mâchait pas ses mots. C'était ce dernier aspect qu'elle préférait chez Mick.

— PAUVRE CLOCHE ! hurlait-elle sans cesse. FILOU ! MALOTRU !

Au départ, Skye se démenait trop pour se soucier de ces insultes. Elle trébucha sur une racine d'arbre, perdit la balle et se retrouva prisonnière, condamnée à essayer d'intercepter Denis et Pencey. Mais Jeanne et Lucas étaient tous les deux au sommet de leur forme, et les balles ne cessaient de lui échapper, accroissant sa frustration.

— Qu'est-ce qu'il y a, Skye ? la taquina Lucas en faisant une superbe passe à Jeanne.

— Rien du tout ! s'écria-t-elle en se retournant, manquant de peu Pencey qui volait vers Lucas.

— GROSSE NULLE ! hurla Jeanne avec jubilation. RACLURE !

Cette fois c'en était trop. Être traitée de cloche par sa petite sœur, passe encore, mais de raclure, non, quand bien même elle ignorait ce que cela voulait dire. Skye oublia les règles – à supposer qu'il y en ait eu – et feignit une mauvaise chute. Jeanne hésita, son amour de sœur prenant un instant le dessus sur la férocité de Mick Hart. Skye se releva alors avec un rire démoniaque et se jeta sur Pencey.

— Jeanne est la prisonnière ! s'écria-t-elle, triomphante.

Et c'était reparti ! Ils couraient, sprintaient, zigzaguaient, haletaient. Skye et Lucas ne cessaient de se passer Denis et Pencey. Jeanne hurlait, menaçait, tempêtait, effectuant plongeon après plongeon. Et puis, prise d'une inspiration subite, elle fit un superbe saut et arrêta Denis avec une maîtrise digne des plus grands.

Lucas était le prisonnier. Il se plaça entre les deux sœurs, déterminé à revenir dans le jeu. Mais Jeanne et Skye formaient l'équipe idéale. Elles dribblaient entre les arbres, se faisaient des passes d'une grande précision, et toutes les balles lui échappaient. C'était une partie de très haut niveau. Même Lucas, enragé qu'il était, en avait conscience. Mais il n'avait pas l'intention de les laisser faire : il décida d'ignorer les balles qui fusaient à ses pieds et fonça droit sur Skye.

— SKYE ! DANGER ! hurla Jeanne en envoyant Denis haut dans les airs.

Skye envoya Denis à la suite de Pencey. Les deux ballons s'élevèrent dans le ciel. À terre, les joueurs chargèrent. Et puis, alors qu'ils semblaient filer droit sur les nuages, Pencey et Denis firent une pause, hésitèrent… et entamèrent une gracieuse descente vers les jardins, de l'autre côté de la haie.

Les enfants pensèrent-ils seulement au concours de jardinage ? Hésitèrent-ils, se rappelant vaguement ce qu'on leur avait répété des dizaines de fois : « Restez à l'écart des jardins » ? Non, pas un seul instant. Ces trois sauvages assoiffés de sang s'engouffrèrent dans le tunnel. Les cris de guerre de Jeanne fusaient.

— VIENS À MOI, BALLON DENIS ! VIENS À MICK ! ALLEZ, LES PENDERWICK ! À BAS, DENIS !

Et lorsqu'ils débouchèrent dans les jardins, alors qu'il leur restait encore une chance d'éviter le pire, entendirent-ils le murmure des voix qui approchaient ? Remarquèrent-ils les taches de couleur qui remuaient derrière les tonnelles de roses ? L'un d'entre eux retrouva-t-il la raison ? Non, toujours pas. Ils n'avaient d'oreilles que pour les cris de Jeanne et d'yeux que pour les ballons, qui atterrirent dans une parfaite synchronisation devant la statue de l'homme à l'éclair. Ils rebondirent, puis se dirigèrent droit sur l'urne où Skye s'était cachée lors de son premier jour à Arundel. Une urne désormais remplie de splendides, de luxuriants jasmins roses en fleur.

Les trois enfants se ruèrent vers l'urne sans reprendre leur souffle et, dans le cas de Jeanne, sans cesser de hurler.

Finalement, les deux ballons et les trois joueurs s'écrasèrent sur l'urne au même moment, dans un geste de toute beauté, faisant voler du jasmin et de la terre dans tous les sens. Ils s'écroulèrent par terre, glorieux, en extase, et très, très sales.

— Ça, c'est de la partie, soupira Jeanne avec satisfaction.

— Amen, dit Lucas.

Skye fut la seule à sentir l'approche du danger. Peut-être, comme elle le dirait plus tard, parce qu'elle était la SPPA, ou peut-être parce qu'elle s'était enfin souvenue du concours de jardinage. Quoi qu'il en soit, l'instinct lui fit tourner la tête.

Des talons hauts, voilà ce qu'elle vit. Une paire d'escarpins bleu marine et, un peu plus haut, une jupe plissée en lin blanc à laquelle s'était accroché un peu de jasmin écrasé. Mais ce n'était pas tout. À côté des talons hauts se trouvait une paire de mocassins masculins en cuir, bien trop chic (et bien trop européens) pour appartenir à Denis. Et ça ne s'arrêtait pas là, car derrière ces deux paires de chaussures se tenait toute une armée de talons hauts.

— Lucas, dit-elle d'un ton calme mais insistant.

Il était trop occupé à chatouiller Jeanne pour lui prêter attention.

— Et d'abord, c'est quoi, une raclure ?

— Une raclure, c'est…

— Lucas ! répéta Skye en fixant désespérément les hordes de chaussures qui avançaient sur eux. Jeanne !

— … une personne absolument bonne à rien. N'est-ce pas un mot fantastique ? Je l'ai trouvé dans le dictionnaire de papa.

Jeanne reprit l'accent à couper au couteau de Mick Hart.

— Moi, je dis que ce Denis est sans aucun doute une…

Skye posa la main sur la bouche de sa sœur.

— Bonjour, madame Tifton, dit-elle, dans une bravade désespérée. Comment se passe le concours ?

Il y avait eu de mauvais moments à passer à Arundel, et il y en aurait encore, mais celui-ci demeurerait longtemps dans la mémoire des filles. Les trois enfants se relevèrent à grand-peine, comme pour affronter un peloton d'exécution qui aurait tous les droits de les descendre. En effet ils s'étaient mal conduits et méritaient la colère et la punition que leur réservait le peloton, en la personne de Mme Tifton.

Pourtant, lorsqu'ils furent debout face à elle, elle garda pour elle les horribles choses qu'elle devait penser. Son visage (où se lisaient fureur, humiliation et frustration) faisait peur à voir, mais elle resta silencieuse. Car si elle ouvrait la bouche, elle crierait, et si elle commençait à crier, elle ne pourrait plus s'arrêter, et elle devait à tout prix éviter ça en présence de Sir Barnaby Parterre et des membres du Club de jardinage. Mme Tifton menait une lutte intérieure épique, et Skye et Jeanne l'auraient presque prise en pitié si elles n'avaient pas été aussi terrifiées.

Alors quelqu'un rit. C'était un rire d'homme, et tout le monde se tourna vers Sir Barnaby. À leur grande surprise, il avait un visage plutôt agréable, orné d'un sourire bienveillant et de rides rieuses au coin des yeux.

— Mon fils joue au football à l'école, en Angleterre, dit-il. Dommage que je ne l'aie pas emmené avec moi.

Il se tourna vers Mme Tifton.

— Ce sont vos enfants ?

C'était la mauvaise question à poser, et les Penderwick se demanderaient longtemps s'il l'avait posée exprès. Le conflit intérieur de Mme Tifton empirait à vue d'œil. Skye crut qu'elle allait exploser. Mais elle se ressaisit et Skye, pour la première fois, ressentit une pointe d'admiration (très furtive) pour cette femme.

— Lucas est mon fils. Les filles sont...

Elle se tut, incapable de trouver un mot suffisamment poli.

— Des amies, termina Lucas. Skye et Jeanne Penderwick.

— Nous sommes en vacances, dit Jeanne. Nous louons un pavillon à Arundel, ou plutôt notre père le loue et nous sommes deux de ses quatre filles. Nous sommes vraiment désolées d'avoir mis un tel bazar, mais je me demandais si, en tant qu'Anglais et donc originaire d'Angleterre, vous aviez déjà vu une Coupe du monde...

Skye lui donna un coup de pied pour la faire taire.

— Nous ferions mieux d'y aller, dit-elle. Mais nous allons d'abord remettre le jasmin en place.

— Laissez-le, dit sèchement Mme Tifton, qui avait de plus en plus de mal à se maîtriser.

— Bon, eh bien, bonne chance pour le concours, madame Tifton. C'était un plaisir de vous rencontrer, monsieur Sir Parterre, et vous également, dit Skye aux autres membres du Club de jardinage, dont certains, remarqua-t-elle à son grand soulagement, semblaient se retenir de rire. Viens, Jeanne.

Jeanne, prise de panique, dévisageait toujours Sir Barnaby, l'adulte présent le moins effrayant et le plus fascinant, puisqu'il était anglais. Skye finit par la tirer par la main pour l'éloigner du groupe. Elles firent un signe à Lucas, qu'elles redoutaient d'abandonner à une mort certaine. Elles se précipitèrent dans le tunnel pour échapper aux regards braqués sur elles. Si Skye avait pu se frapper en courant, elle l'aurait fait. Quelles idiotes ! Oublier le concours de jardinage ! Quelles imbéciles ! Idiotes, IDIOTES !

— Tu penses que Mme Tifton et les autres m'ont entendue hurler ? demanda Jeanne.

Le soir même, elle et Skye étaient à nouveau assises sur la véranda. Sur la pelouse, Rosalind et Linotte chassaient des lucioles.

— Tu rigoles ? On a dû t'entendre jusqu'au Connecticut.

Jeanne poussa un grognement.

— J'espère que Lucas n'a pas eu trop d'ennuis.

— Ha ! soupira Skye.

Elle ne se faisait guère d'illusions à ce sujet.

Linotte les rejoignit en courant, les mains en coupe.

— J'en ai attrapé une qui s'appelle Horatio, dit-elle en ouvrant les mains.

Un insecte lumineux se balançait maladroitement sur son pouce.

— Regardez, il clignote, dit Jeanne. Il essaie de nous dire quelque chose en morse.

— Quoi ? demanda Linotte.

— S'il te plaît… Laisse… moi… partir…

L'insecte s'envola.

— Maintenant je ne peux plus le mettre dans le bocal avec les autres.

— Tant mieux. Jouons à autre chose. Que diriez-vous de faire les acrobates, comme au cirque ?

Dans le jardin, Rosalind dévissa le couvercle du bocal de Linotte et regarda les points de lumière qui s'en évadaient. Lorsque le tout dernier se fut envolé, elle ressentit soudain un étrange fourmillement dans la nuque. Comme elle l'écrirait ensuite à Anna, il ne s'agissait ni d'une araignée ni d'une luciole lui courant sur la peau. C'était plutôt une caresse délicate de la main du destin pour lui annoncer l'arrivée d'un événement, ou plutôt d'une personne.

Elle se redressa. Un jeune homme grand et souriant approchait dans la douce lumière du soir, coiffé d'une casquette. Il était, si cela était possible, encore plus mignon que la dernière fois qu'elle l'avait vu.

— Salut, Thomas, dit-elle en s'efforçant de refermer le bocal.

— Attends, laisse-moi t'aider, dit-il en le lui prenant des mains. J'ai un message pour tes sœurs.

— Elles sont sur la véranda.

Alors que Rosalind traversait la pelouse à ses côtés, elle fit de plus grands pas pour rester à sa hauteur et remarqua que le haut de son crâne atteignait à peine les épaules du garçon.

Sur la véranda, Linotte, la tête en bas, marchait sur les mains tandis que Jeanne lui tenait les chevilles.

— Des nouvelles de Lucas ? demanda Skye en les voyant approcher.

— Il a été consigné dans sa chambre tout l'après-midi et il doit y rester jusqu'à demain matin. Il m'a demandé de vous dire qu'il allait bien.

— Est-ce que Mme Tifton l'a mis à l'eau et au pain sec ? demanda Jeanne.

— Non, Churchie lui a monté un sandwich et de la tarte aux myrtilles.

— Est-ce qu'il est enfermé ? continua Jeanne. Est-ce qu'il a suffisamment de livres à lire ?

Elle fit une pause tandis que Skye lui murmurait quelque chose à l'oreille.

— Oh ! Bonne idée ! Rosalind, nous allons faire un tour.

Elle passa les chevilles de Linotte à sa sœur et sauta de la véranda.

— Ne soyez pas trop longues, la nuit tombe ! leur cria Rosalind alors qu'elles disparaissaient entre les arbres.

— Ce sont de gentilles filles, dit Thomas.

— Pour leur âge.

— Homph, fit Linotte, qui avait toujours la tête en bas.

— On dirait qu'il va enfin pleuvoir, déclara Thomas. Ça va faire du bien aux jardins.

— Il n'a pas du tout plu depuis notre arrivée.

— HOMPH ! s'énerva Linotte.

— Oh, zut, je t'avais oubliée.

— Je suis juste là !

— Je sais, je suis désolée, dit Rosalind en la posant doucement par terre. Et si tu allais chercher la surprise pour Thomas ?

Linotte galopa à l'intérieur de la maison. Elle revint une minute plus tard avec un grand sac en plastique rempli de feuilles de pissenlit.

— Rosalind et moi les avons débichées pour Yann et Carla.

— Dénichées, la corrigea Rosalind. Mais, Linotte, je parlais de l'autre surprise. Celle que nous avons trouvée en ville avec papa, hier.

— Oh, ça !

Linotte rentra de nouveau dans la maison. Cette fois, elle revint avec un paquet-cadeau.

— C'est pour me faire pardonner d'avoir laissé filer Yann. Je voulais t'offrir un calendrier avec des lapins, mais Rosalind a pensé que tu préférerais ça. Elle a dépensé son argent de poche des deux prochains mois pour l'acheter, puisqu'elle avait déjà dépensé tout son argent pour le cadeau de Lucas.

— Chut, dit Rosalind.

— Un livre de photographies sur la guerre de Sécession ! s'exclama Thomas en déchirant le papier-cadeau. Quelle magnifique surprise ! Mais il ne fallait pas.

— Oh, si.

— Vous savez, je crois que Linotte a rendu service à Yann. Maintenant il n'essaie plus de s'échapper. Il ne s'approche même plus de la porte. Mais merci, Rosalind, c'est très gentil.

— Allons attraper d'autres lucioles, proposa Linotte.

— Il est temps que tu te prépares pour aller au lit. Je monte te raconter une histoire dans quelques minutes.

— Je dois d'abord prendre un bain.

— Tu en as déjà pris un hier soir.

— Mes pieds sont encore sales.

Linotte posa une sandale et montra son pied à Thomas et Rosalind.

— D'accord, concéda Rosalind, tu dois te laver. Demande à papa de te faire couler l'eau. Je te rejoins vite pour te rincer et te sécher.

— Je veux que ce soit toi qui le fasses couler.

Rosalind jeta un coup d'œil à Thomas. Il feuilletait son nouveau livre, le tenant très près de ses yeux afin de voir les images malgré la lumière déclinante. Elle lui donna jusqu'à trois pour la regarder. Un. Deux. Trois. Elle soupira.

— Nous devons rentrer, maintenant, Thomas. Bonne nuit.

Il leva enfin les yeux sur elle.

— Bonne nuit, et merci encore pour le livre et les pissenlits.

Rosalind prit la main de Linotte, et elles rentrèrent.

— Je pense quand même qu'il aurait préféré le calendrier avec les lapins, dit Linotte.

— Quelle chance que Thomas ait installé une échelle de corde ! s'exclama Skye.

Elle et Jeanne se tenaient au pied du grand arbre, sous la fenêtre de Lucas. Skye dénouait une ficelle attachée à un clou planté dans le tronc.

— Lucas m'a montré comment faire, l'autre jour. C'est cette ficelle qui maintient l'échelle enroulée. On défait le nœud, on laisse la ficelle se dérouler et l'échelle tombe. Il y a un autre nœud tout en haut au cas où quelqu'un voudrait descendre plutôt que monter.

— Aïe !

L'échelle était tombée sur la tête de Jeanne.

— Tu n'es pas censée rester plantée en dessous.

— Tu aurais pu me prévenir.

— Grimpe.

Elles gravirent l'échelle et se hissèrent sur la branche la plus basse, celle où elles s'étaient retrouvées coincées lors de leur première semaine à Arundel. Jeanne leva les yeux. La nuit était tombée, et des nuages épais masquaient la lune et les étoiles. Elle ne distinguait que des branches noires se découpant sur un ciel ténébreux.

— Tu as peur d'escalader dans le noir ? demanda Skye.

— La peur n'arrête jamais Sabrina Starr.

— Quand on sera un peu plus haut, on profitera de la lumière de la chambre de Lucas, dit Skye en désignant un rectangle éclairé sur la façade.

— Écoute, il y a de la musique.

— C'est Lucas.

— « Le jeune garçon déversait sa tristesse et sa solitude sur son piano bien-aimé », déclama Jeanne.

Pas mal, pensa-t-elle, mais c'est trop tard pour mettre cette phrase dans mon livre. Elle avait déjà commencé la scène du sauvetage – avec les arcs et les flèches – et Arthur ne pouvait pas emmener un piano dans la montgolfière. Bien sûr, elle aurait pu revenir en arrière et ajouter ce passage à un chapitre précédent, mais elle avait horreur de retoucher son travail. Elle pensait qu'il valait mieux s'en tenir à sa première vision créative.

— Monte, dit Skye.

Lentement, avec précaution, elles escaladèrent l'arbre jusqu'à la branche qui donnait sur la fenêtre de Lucas. Elles jetèrent un coup d'œil à l'intérieur. Il était assis sur son tabouret, voûté, le regard dans le vide, et ne jouait plus.

— Psst, fit Jeanne.

Il sursauta et courut à la fenêtre.

— Qu'est-ce que vous faites là ?

— Thomas a raconté que tu allais bien, mais on se sentait coupables et on voulait te voir.

— On est vraiment désolées, fit Skye. C'était idiot d'avoir oublié le concours.

— Ce n'était pas à vous de vous en souvenir, dit Lucas. C'est moi qui habite ici.

— Peut-être, mais si on ne t'avait pas déconcentré, surtout Jeanne avec son abruti de Mick Hart…

— Franchement, ce n'est pas grave.

— Si, c'est grave, rétorqua Skye en sortant la brochure sur Pencey de sa poche et en la lui tendant. Au fait, tu as oublié ça sur la véranda.

— J'aurais dû la jeter dans les toilettes. Vous voulez entrer ?

— Il vaut mieux pas, répondit Skye. Il est tard et papa va bientôt partir à notre recherche.

— Qu'est-ce que ta mère t'a dit quand tous ces gens sont partis ? demanda Jeanne.

— Elle a dit… enfin, elle a hurlé que je ne me souciais plus de ce qu'elle ressentait. Mais c'est faux. C'est ma mère.

— On le sait bien, approuva Jeanne.

— Et puis elle a appris qu'Arundel était arrivé en seconde position et elle m'a encore crié dessus. C'est Mme Robinette qui a remporté le concours. Ça l'a vraiment anéantie. Elle n'arrête pas de répéter qu'il me faut plus de discipline.

— Elle n'a pas menacé de t'envoyer à Pencey, à la rentrée ? demanda Skye.

— Non, mais elle a laissé entendre qu'elle et Denis devaient parler sérieusement ce soir.

— Ça ne m'inspire rien de bon.

Lucas tourna la tête et tendit l'oreille.

— J'entends quelqu'un. Vous feriez mieux de partir.

— On se voit demain matin ? fit Jeanne.

— Au pavillon, dit Lucas. Comptez sur moi.

CHAPITRE 13

La leçon de piano

— C'est trop nul, dit Skye en regardant tomber la pluie par la fenêtre.

Les quatre sœurs étaient dans la cuisine. Jeanne et Linotte terminaient leur petit déjeuner, et Rosalind faisait encore un gâteau au chocolat.

— Les jardins en avaient vraiment besoin, commenta Rosalind.

— Pourquoi n'a-t-il pas plu hier, lorsque le Club de jardinage était là ? Comme ça on n'aurait pas joué au foot et on n'aurait pas traversé la haie.

— Ça ne serait pas arrivé si vous m'aviez écoutée, répliqua Rosalind.

— Oh, arrête, dit Jeanne. On s'inquiète déjà assez, pas besoin d'en rajouter.

— Moi, je ne suis pas inquiète, déclara Skye.

Elle mentait. Les Penderwick rentreraient chez elles dans trois jours. Elles n'auraient jamais le temps de sortir Lucas du pétrin dans lequel elles l'avaient fourré. À supposer qu'elles puissent l'aider. Ah, où était-il ?

— Atchoum ! fit Jeanne.

— Berk, tu as craché sur mes céréales, se plaignit Linotte.

Rosalind prit le bol de Linotte d'une main et toucha le front de Jeanne de l'autre.

— On dirait que tu as de la fièvre, Jeanne.

— Je vais bien, je t'assure.

— Lucas est là ! s'écria Skye en ouvrant brusquement la porte. Ouf, tu as réussi !

— Je vous l'avais bien dit, lança-t-il en secouant sa veste trempée.

— On avait peur que tu sois encore puni, dit Jeanne.

— Mère ne m'a laissé sortir de ma chambre que ce matin, et ensuite elle est allée faire les antiquaires dans le Vermont avec Denis. Alors je suis libre.

— ATCHOUM ! fit Jeanne.

— BERK ! fit Linotte.

— Jeanne, monte te reposer dans ta chambre, lui conseilla Rosalind.

— Je ne veux pas me reposer.

— Tu n'as pas le choix. Monte dans ta chambre.

— Sabrina Starr obéit toujours aux ordres. Mais je ne vais pas me reposer. Je vais travailler sur mon livre. Il est presque terminé. N'est-ce pas excitant ?

— Très excitant, dit Lucas.

— Au revoir, Lucas, ne laisse pas Skye te causer d'autres ennuis.

— Moi ? Au moins je ne me transforme pas en Mick Hart.

— « Sabrina Starr sortit avec dignité. »

Jeanne éternua trois fois, de plus en plus violemment, puis monta l'escalier.

— Qu'allons-nous faire ? demanda Skye. Je voulais encore m'entraîner à tirer à l'arc, et on ne peut pas avec ce temps.

— J'ai une idée, mais il faut aller chez moi, dit Lucas. Par contre, c'est une surprise et je ne dévoilerai rien avant d'être là-bas. Tu veux venir avec nous, Rosalind ?

— Je vais rester là au cas où Jeanne aurait besoin de quelque chose. De toute façon, j'aimerais bien finir ce livre sur la bataille de Gettysburg.

— C'est Thomas qui lui a prêté, précisa Skye. Elle en a déjà dévoré un sur des généraux absolument fascinants !

— Passionnant, fit Lucas.

Rosalind les ignora.

— Je peux venir avec vous, Lucas ? demanda Linotte.

— Bien sûr, répondit-il.

— Non, s'opposa Skye.

— Elle ne va pas nous déranger.

— Ça c'est toi qui le dis.

— Est-ce qu'on peut d'abord apporter des carottes à Yann et Carla ? Et ensuite aller voir les grenouilles dans la mare aux nénuphars ?

— Oh, Linotte, soupira Lucas en jetant un regard désespéré à Skye.

— Sois ferme.

— D'accord pour les lapins, mais pas pour les grenouilles.

— Cool, fit Linotte. J'étais sûre que tu dirais non pour les deux.

Et elle plongea dans le réfrigérateur pour y chercher des carottes.

— C'est ça, ta grande idée ? s'exclama Skye. M'apprendre à jouer du piano ?

Ils se trouvaient dans le salon de musique du manoir, et Skye regardait d'un air consterné le piano à queue installé dans un coin. C'était le plus grand piano qu'elle avait jamais vu. À vrai dire, menacée de devoir en faire sortir de la musique, elle avait l'impression que c'était une baleine noire et luisante prête à la dévorer.

— Ça va te plaire. La musique, ça ressemble beaucoup aux mathématiques. Tu es bonne en maths, pas vrai ?

— Je suis excellente en maths et pourtant j'étais nulle à la clarinette. C'était de la torture. Retournons au grenier. Il y a des tonnes de choses à faire là-haut.

— Lâche !

— Je ne suis pas lâche ! dit Skye en lui faisant une grimace redoutable.

— Alors essaie. Ça va être marrant, je te le jure.

— On ne pourrait pas utiliser le piano de ta chambre ? Il est moins grand.

— Il n'y a qu'un tabouret là-haut. Impossible de s'asseoir tous les deux.

Il s'installa sur le banc et tapota la place vide à côté de lui.

— Viens.

Skye se glissa avec précaution derrière le piano et s'assit. Elle se sentait prise au piège. Derrière elle, il n'y avait ni porte ni fenêtre. En face, un piano gigantesque avec quatre-vingt-huit dents voraces. Elle ne pouvait même pas voir le reste de la pièce derrière lui.

— OK, maintenant écoute une minute, dit Lucas.

Il secoua ses mains pour les détendre, puis les abaissa sur les touches. Mais avant même qu'il ait pu jouer une note, le visage de Linotte apparut de son côté du banc. Skye sursauta. La petite morveuse devait s'être faufilée sous le piano.

— Hé, Lucas ! Je peux jouer avec les coussins sur le canapé ?

— Bien sûr, dit-il, et la petite tête disparut.

— Quels coussins ? demanda Skye.

— Ne t'en fais pas, dit Lucas. Ferme les yeux et écoute.

Il joua plusieurs mesures.

— C'était du Bach. Tu as entendu les progressions mathématiques ?

— Bien sûr que non. Et si on explorait la cave, aujourd'hui ? J'adore les caves.

La tête de Linotte apparut une fois de plus à côté de Lucas.

— Je peux jouer avec ce truc en or à côté de la cheminée ?

— Tu veux dire l'écran de cheminée ? Vas-y.

La petite fille disparut de nouveau.

— Tu la laisses jouer avec de l'or ? demanda Skye.

— Ne t'inquiète pas, ce n'est que du cuivre. Maintenant, concentre-toi. Tu dois déjà savoir, puisque tu as joué de la clarinette...

— Puisque j'ai *essayé* de jouer de la clarinette.

— ... que les notes sont comme des fractions. Il

170

y a des notes entières, des demies, des quarts, des huitièmes, des seizièmes. Ce sont des maths. Mais on peut aussi voir la gamme comme un système à huit nombres. *Do, ré, mi, fa, sol, la, si*, et puis on arrive à huit et on doit reprendre à *do*. D'accord ? Écoute.

Il joua une gamme. Une fois encore, Linotte apparut.

— Et ces petits animaux en pierre sur la table dans le coin ? demanda-t-elle.

— Joue avec ce que tu veux, dit Lucas, tant que tu fais attention.

— D'accord, dit-elle, et elle repartit.

— Skye, écoute la musique. Écoute les schémas.

— Tu n'as pas l'intention d'abandonner, pas vrai ?

— Je pense que tu pourrais y arriver si seulement tu essayais.

Il joua le morceau, en entier cette fois. Ensuite il regarda Skye d'un air plein d'espoir.

— Hum, en fait, je crois que je commence à saisir.

— Vraiment ?

— Il faut juste combiner la logique et l'instinct. Laisse- moi essayer, dit-elle.

Elle secoua les mains puis les posa gracieusement sur le clavier. CRASH ! BANG ! BOUM !

— Arrête ! s'écria Lucas en se bouchant les oreilles. Tu as gagné ! Calme-toi.

Mais Skye s'amusait trop pour s'arrêter. Alors Lucas se mit à la chatouiller jusqu'à ce qu'elle tombe du banc. Le silence fut enfin restauré. Lucas la regarda, étalée par terre.

— Maintenant nous allons aborder le *mi* bémol.

Skye se jeta sur lui et le fit tomber du banc. Ils se remirent à se chatouiller. Des rires hystériques se mêlaient aux cris de menace. Les chatouilles se transformèrent en bagarre de plus en plus violente. Ils renversèrent le banc, et les partitions se mirent à voler dans la pièce.

Ils faisaient tant de chahut qu'ils n'entendirent pas que la porte s'ouvrait et que quelqu'un entrait dans la pièce. Si seulement ils avaient été plus prudents... Mais pourquoi l'auraient-ils été ? Ils ne pouvaient pas deviner que la voiture de Denis crèverait et que, sale et trempé après avoir changé le pneu, ce dernier préférerait ramener Mme Tifton plus tôt que prévu. Et ils n'auraient certainement pas pu savoir qu'en entendant leurs rires depuis le hall, celle-ci viendrait voir ce qui se passait. C'est pourtant ce qui se produisit, et cette fois il n'y avait pas de Sir Barnaby pour l'obliger à garder son sang-froid.

— Encore toi ! s'écria-t-elle en jetant un regard venimeux à Skye. Toi !

Lucas se releva d'un bond, cognant le banc contre un pied du piano.

— Mère, dit-il, haletant. Je pensais que vous étiez dans le Vermont.

— Et c'est comme ça que tu profites de mon absence, en te roulant par terre comme un hooligan avec cette odieuse, cette misérable...

Skye se releva à son tour, sans la moindre honte, car ils n'avaient rien fait de mal. Cette fois, il n'y avait ni urne renversée, ni jasmin éparpillé, ni concours gâché.

— C'est moi qui ai commencé, madame Tifton, dit-elle.

— Oh, ça je n'en doute pas une seule seconde,

Jeanne. Tu sèmes le chaos partout où tu passes. D'abord mon pauvre jardin, et maintenant ça !

Mme Tifton indiqua d'un geste dramatique le reste de la pièce. Skye et Lucas suivirent son regard. Oh, non, pensa Skye. Il n'y avait peut-être pas d'urne renversée, mais le salon de musique avait été radicalement transformé en un mélange de fort du Far West et de tente des Mille et Une Nuits, bâti à l'aide de coussins, d'un écran de cheminée, de dizaines de gros livres en cuir et de plusieurs plaids en soie très élégants.

— Linotte ?

Un visage pâle et terrifié sortit de sous un magazine.

— Tout va bien, dit Lucas. Inutile de te cacher.

Linotte sortit de sa cachette à quatre pattes. Elle tenait, dans chacune de ses mains, un petit lion en pierre finement sculpté.

— Les sculptures africaines de papa ! s'écria Mme Tifton. Lucas Framley Tifton, n'as-tu aucun respect pour ce qui m'appartient ?

— Il voulait seulement…, commença Skye.

— Sortez de chez moi, toutes les deux ! Les Penderwick ne sont plus les bienvenues dans cette maison.

— Mère, dit Lucas, elles…

— Je ne veux plus entendre un seul mot tant qu'elles ne seront pas parties, l'interrompit sa mère.

— Dans ce cas, je vais les raccompagner à la porte, dit-il fermement.

— Je suis sûre qu'elles connaissent le chemin. Tu vas rester là et m'aider à réparer ce désastre.

— Ne t'inquiète pas, dit Skye. Elle a raison, nous connaissons le chemin. Viens, Linotte, allons-y.

La petite fille reposa avec soin les sculptures par terre puis rejoignit Skye en passant sous le piano pour éviter Mme Tifton.

— À plus tard, dit Lucas.

— Oui, à plus tard. Merci pour la leçon de piano, dit Skye.

La tête haute, elle passa devant Mme Tifton et sortit.

Linotte réussit à retenir ses larmes jusqu'au couloir, mais lorsqu'elle craqua, ce fut ce que M. Penderwick appelait une tempête silencieuse : rapide, violente et sans aucun bruit. Skye la tira dans le hall, là où Mme Tifton ne pouvait pas les entendre.

— Arrête, pas maintenant, dit-elle.

Calmer Linotte ne faisait pas partie de ses talents. Elle aurait tant voulu que Rosalind ou même Jeanne soient là.

— Tout est ma faute, dit Linotte.

Ses ailes s'affaissèrent et elle déversa des torrents de larmes.

— Je n'aurais pas dû venir, Skye, tu avais raison.

Répondre « Je te l'avais bien dit » n'aurait servi à rien, surtout que Linotte pleurait déjà toutes les larmes de son corps. D'ailleurs, Skye savait bien qu'elle était plus fautive que Linotte.

— Je suis la SPPA, dit-elle. J'aurais dû faire plus attention.

— C'est vrai.

— Alors arrête de pleurer et essuie-toi le visage.

— Je n'ai pas de mouchoir, sanglota Linotte, que cette nouvelle tragédie fit pleurer de plus belle.

— Sers-toi de tes vêtements. Je ne le dirai à personne.

Pendant que Linotte essuyait son visage avec sa petite chemise, Skye jeta un coup d'œil anxieux vers la salle de musique. Elle avait une terrible envie d'écouter à la porte – juste une seconde – pour s'assurer que Lucas ne recevait pas une horrible punition.

— Ça y est, dit Linotte.

Sa chemise était trempée et froissée, mais le torrent de larmes s'était calmé.

— Beau travail, dit Skye en lui tapotant la tête avec maladresse. Maintenant, va dans la cuisine. Churchie te donnera quelque chose à manger.

— Je veux rester avec toi. S'il te plaît.

Mme Tifton pouvait débouler du salon de musique d'une minute à l'autre. Soit elles écoutaient tout de suite à la porte, soit elles s'en allaient pour de bon. Et Skye ne comptait pas partir avant d'être sûre que Lucas allait bien. Surtout après lui avoir encore une fois attiré des ennuis.

— D'accord. Mais tu ne dois pas faire un bruit. Je vais voir où en est Lucas.

— Tu veux dire que tu vas espionner.

— Oui, et si ça ne te plaît pas, tu peux aller rejoindre Churchie tout de suite.

Linotte préférait encore espionner que se promener toute seule dans le manoir. Les deux sœurs s'approchèrent donc sur la pointe des pieds du salon de musique. Elles collèrent l'oreille contre la porte. Mme Tifton parlait.

— Je ne comprends pas ce qui se passe, Lucas. Tu ne m'as jamais défiée de la sorte. Depuis que ces Penderwick…

— Ça n'a rien à voir avec elles, Mère.

— Tu avais des amis si gentils, autrefois, comme Teddy Robinette.

— Teddy Robinette n'a jamais été mon ami. C'est une brute et un imbécile.

— Je n'en crois pas un mot.

— À l'école, personne ne l'aime, et il triche tout le temps. Vous vouliez qu'il soit mon ami parce qu'il vient d'une famille riche...

— Ça suffit ! s'écria Mme Tifton, qui faisait les cent pas. Je ne sais plus comment m'y prendre avec toi. Denis pense qu'il te faut une main plus ferme. Il a peut-être raison.

— Denis ! s'exclama Lucas d'une voix méprisante.

— Qu'est-ce que ça veut dire ? Lui non plus, tu ne l'aimes pas ? Si c'est le cas, tu ferais mieux de le dire tout de suite, parce que...

Elle s'interrompit.

— Parce que vous allez l'épouser ?

Les pas s'arrêtèrent et la voix de Mme Tifton se fit plus douce, presque suppliante.

— Serait-ce si terrible ? Que j'aie un mari ? Et toi un père ?

— Il ne veut pas être mon père ! Il veut seulement se débarrasser de moi en m'envoyant une année plus tôt à Pencey !

— Nous n'avons pas encore...

Sa voix reprit sa dureté habituelle.

— Une minute, jeune homme. Comment es-tu au courant de ça ?

— En fait, nous... je vous ai entendus en parler.

— Nous ? Réponds-moi, Lucas. Quand et avec qui

176

m'as-tu espionnée ? Churchie a quelque chose à voir là- dedans ? Ou bien Thomas ?

— Non, non ! s'écria-t-il. Bien sûr que non.

— Ces Penderwick. J'aurais dû m'en douter.

— Mais nous ne vous espionnions pas, Mère. Vraiment pas. Nous vous avons entendus par hasard après ma fête d'anniversaire.

— Par hasard ? Je parie que c'était l'idée de Jeanne. Cette petite blonde sournoise et sarcastique.

— Vous parlez de Skye, et elle n'est pas…

— Ne m'interromps pas ! Et il n'y a pas que Jeanne, enfin Skye. Elles sont toutes pareilles. Grossières, impolies et vaniteuses. Voilà ce qui arrive lorsque les parents ne font pas leur travail. Leur père leur laisse tout passer, et Dieu seul sait où leur mère s'est enfuie. J'imagine qu'elle en a eu assez de s'occuper de toutes ces filles. À sa place, j'aurais fait pareil.

Dans le couloir, les deux fillettes vivaient un cauchemar. Skye se moquait bien qu'on la traite de sournoise sarcastique. Ce n'était pas si terrible, venant de Mme Tifton, et elle ne pouvait nier qu'elle était effectivement en train d'espionner. Mais l'entendre critiquer son père et, pire encore, balancer de telles horreurs sur sa mère, c'était insupportable ! Skye sentit la rage monter en elle. Elle serra les poings. Ses oreilles vrombissaient tant qu'elle entendit à peine la réponse de Lucas.

— Mère, Mme Penderwick…

— Et cette Rosalind, qui suit toujours Thomas comme un petit chien. Si elle continue comme ça, un homme finira un jour par se laisser tenter, et ce sera la fin de sa prétendue innocence. Et puis ne me dis pas que la petite n'a pas un problème. Ces ailes vulgaires et sa façon de dévisager les gens sans rien dire…

Skye savait qu'elle ne devait pas retourner dans la pièce. Ce n'était pas une conduite de gentleman, et cela donnerait à Mme Tifton d'autres raisons de la détester. Elle le savait bien, et même Linotte la tirait par le bras pour l'en empêcher. Mais elle s'en fichait. L'honneur de sa famille (de sa mère !) était en jeu, et elle devait défendre les personnes qui lui étaient chères. Elle prit une profonde inspiration, se prépara au combat, et ouvrit la porte à la volée. Elle fonça droit sur Mme Tifton.

— Quoi ? Que ?…

— Vous n'avez pas le droit de parler comme ça de ma famille ! hurla Skye. Retirez immédiatement ce que vous venez de dire !

— Comment oses-tu ? Dans ma propre maison !

Mme Tifton courut jusqu'à la porte et passa la tête dans le couloir.

— Churchie ! Venez immédiatement dans le salon de musique !

Skye la suivit.

— J'ose parce que je suis une Penderwick. Mais ça, ça vous échappe complètement !

— Tu vois, Lucas ! Elle nous espionnait encore !

— Je vous espionnais, je l'admets, répondit fièrement Skye. Je voulais m'assurer que Lucas allait bien.

— T'en assurer ? Présomptueuse petite… CHURCHIE !

— Et je suis heureuse de l'avoir fait parce que j'ai pu entendre ce que vous avez dit et vous…

Skye sentit une main apaisante sur son épaule. C'était Churchie, toute rouge et essoufflée.

— Allons, Skye.

Churchie prit Linotte dans ses bras. La petite fille s'était remise à pleurer.

— Il faut que tu rentres chez toi, maintenant.

Mais Skye était trop furieuse pour l'écouter. Elle approcha son visage de celui de Mme Tifton.

— Même en un million d'années, vous ne pourriez rien comprendre à ma mère. Vous n'êtes pas assez bonne. Elle ne nous aurait jamais abandonnées délibérément. Elle est morte. Vous m'avez entendu ? Ma mère est MORTE !

— Je l'ignorais, bredouilla Mme Tifton. Personne ne m'avait mise au courant.

— Lucas a essayé de vous le dire, mais vous ne l'avez pas écouté, comme d'habitude !

— Skye, ça suffit, ma petite, dit Churchie. Occupe-toi de ta sœur.

— Churchie, je vous en prie, dit Mme Tifton, qui semblait à deux doigts de s'évanouir, éloignez-la de moi.

— Je vais m'éloigner toute seule, dit Skye.

Tremblante de colère, elle s'approcha de Lucas. Il tremblait lui aussi, mais pas de rage, plutôt comme quelqu'un qui vient de survivre à une tornade. Skye baissa la voix pour que lui seul puisse l'entendre.

— Je suis désolée. Je suis vraiment désolée. Mais je n'avais pas le choix.

— Je sais.

Skye ferma le poing et le tendit vers lui. Il posa son poing sur le sien.

— Amis pour toujours ?

— Amis pour toujours.

— Sur l'honneur de la famille Penderwick ! dirent-ils en chœur.

Skye marchait sous la pluie d'un air digne. Elle sentait l'eau dégouliner sur ses cheveux, sur son visage et passer sous son tee-shirt et son short. Après avoir enveloppé Linotte dans un imperméable jaune, Churchie avait essayé d'en trouver un pour Skye, mais celle-ci était trop impatiente de quitter cette maison et de s'éloigner de Mme Tifton. Bientôt elles seraient dans le tunnel et de retour de l'autre côté de la haie, à l'abri.

— J'ai une question, dit Linotte en la regardant par-dessous son chapeau de pluie.

— Quoi ?

— Est-ce que je suis bizarre ? Est-ce que quelque chose ne va pas chez moi, comme l'a dit Mme Tifton ?

Skye s'agenouilla dans l'herbe trempée et regarda Linotte droit dans les yeux.

— Non, espèce d'idiote, tout va bien chez toi. Tu es parfaite. Mme Tifton ne sait pas de quoi elle parle.

— Tu en es sûre ?

— Absolument certaine.

— Oh.

— Tu as d'autres questions ?

— Pas pour l'instant.

— Alors, allons retrouver papa.

Skye prit la main de sa sœur et ne la lâcha qu'une fois arrivée au pavillon.

CHAPITRE 14

Une aventure au clair de lune

— **E**ncore une histoire, réclama Linotte.

— Je t'en ai déjà raconté trois, dit Rosalind. Tu connais la règle : une seule histoire avant de dormir.

— S'il te plaît, Rosalind. Crapule est triste ce soir. Il se sent seul.

Crapule abandonna l'os qu'il rognait, traversa la pièce au galop et sauta joyeusement sur le lit.

— C'est vrai qu'il a l'air triste, admit Rosalind en le poussant du lit.

Elle se demanda pour la quinzième fois de la journée ce qui s'était passé ce matin-là à Arundel. À peine revenue, Skye s'était enfermée dans sa chambre. Linotte, les yeux rouges et gonflés, n'avait pas quitté Rosalind d'une semelle. Aucune d'elles ne voulait parler de ce qui n'allait pas.

— Raconte-moi une histoire sur maman et oncle Gordon quand ils étaient petits.

— D'accord, une dernière si tu me promets de dormir ensuite.

— Je le promets.

— Tu préfères l'épisode du beurre de cacahouète sur les murs ou celui du bobsleigh ?

— Les deux.

— Linotte !

— Le bobsleigh.

— Lorsque oncle Gordon avait sept ans, et maman cinq, Gordon a lu un livre sur le bobsleigh et a décidé d'apprendre à en faire.

— Mais c'était l'été.

— Et il n'y avait pas de neige. Alors il a pris son matelas et l'a tiré jusqu'en haut de l'escalier. Comme il ne savait pas trop comment ça allait se passer, il a demandé à maman d'essayer en premier.

— Maman a dit non, dit Linotte d'une voix ensommeillée en fermant les yeux.

— Oncle Gordon a promis qu'il lui donnerait vingt-cinq centimes. Alors maman s'est glissée sous les couvertures, que Gordon avait laissées pour que le lit ressemble vraiment à un bobsleigh, et puis il a poussé le matelas de toutes ses forces.

Rosalind se tut et, comme Linotte n'intervenait pas, elle continua à voix basse.

— Mais l'escalier n'était pas droit. Après une douzaine de marches, le matelas est arrivé à un palier et s'est replié comme un accordéon. Maman s'est retrouvée coincée dans les draps et les couvertures et elle s'est mise à hurler… Linotte ?

La petite fille s'était enfin endormie. Rosalind la borda soigneusement, l'embrassa sur la joue et regarda Crapule d'un air sévère pour lui faire comprendre qu'il ne devait pas monter sur le lit. Il lui adressa un regard innocent : ça ne lui viendrait même pas à l'idée ! Rosalind éteignit la lumière, ferma la porte et entendit un gros bruit. Elle soupira et se dirigea vers l'escalier menant au grenier.

Il était temps d'aller prendre des nouvelles de Jeanne, qui était restée au lit toute la journée à cause de son rhume. Elle avait dormi, lu, écrit, et encore dormi. Dans sa chambre, la lumière était encore allumée et le livre qu'elle lisait était posé, grand ouvert, sur les couvertures. Mais Jeanne dormait profondément, ses boucles emmêlées répandues sur son oreiller. Rosalind posa le livre sur la table de chevet puis effleura le front de Jeanne. La fièvre était tombée. Papa serait soulagé.

Jeanne remua et marmonna :

— « Maintenant que tu es libre, Arthur, où veux-tu que ma montgolfière te porte ? Ton souhait sera exaucé. Que choisis-tu ? La Russie ? L'Australie ? Le Brésil ? »

— Jeanne, c'est Rosalind. Tu as besoin de quelque chose ?

— « Et le garçon répondit : "N'importe où dans le monde où Mme Atrocifer ne me trouvera pas." »

— Chut, rendors-toi.

Rosalind éteignit la lumière puis redescendit dans sa chambre.

Plus que trois nuits, pensa-t-elle, et ils rentreraient à Cameron. Cette chambre lui manquerait-elle ? Elle n'était pas aussi jolie que la sienne, à la maison, avec ses meubles en merisier et les rideaux colorés que sa mère avait confectionnés. Mais elle y avait quand même été heureuse. Il y avait le livre de Thomas sur son lit. Elle l'avait presque terminé. Et une rose blanche du *Fimbriata* sur le bureau. Et puis toutes les lettres qu'Anna lui avait envoyées et dans lesquelles elle lui prodiguait de nombreux conseils sur Thomas. Pendue à la porte du placard, pour qu'elle puisse la voir tous les jours, la robe rayée qu'elle avait portée pour l'anniversaire de Lucas. Rosalind s'en approcha et toucha les boutons dans le dos, l'un après l'autre. Il y en avait treize. Elle le savait par cœur, tout comme elle se souvenait parfaitement de ce que Thomas lui avait dit en la voyant dans cette tenue.

Elle alla à la fenêtre et regarda dehors. La pluie avait cessé et le ciel s'était éclairci. La lune avait commencé son ascension au-dessus des arbres. Rosalind poussa la moustiquaire et se pencha. Elle avait calculé qu'en s'inclinant d'une certaine manière et en se tournant vers la gauche, elle se trouvait juste en face de l'appartement de Thomas. Elle aurait même pu en apercevoir les lumières si les arbres et la haie ne lui avaient pas bouché la vue.

« Ouah, les filles, vous êtes superbes ! » C'est ce qu'il avait dit. De temps en temps, elle s'imaginait qu'il ne s'était adressé qu'à elle. « Ouah, Rosalind, tu es... »

Elle sursauta et se cogna la tête. Quelqu'un frappait à la porte.

— Rosalind ? Tu es là ?

C'était Skye. Rosalind remit lentement la moustiquaire en place et ouvrit la porte.

— Qu'est-ce qui ne va pas ?

— Rien du tout. Pourquoi ça n'irait pas ?

Elle entra et s'assit sur le lit.

— D'accord, alors tout va bien. Tu t'enfermes toujours dans ta chambre pendant des heures, et tu te conduis tout le temps comme un ours mal léché à table.

— C'était à ce point-là ?

— Oui, répondit Rosalind en s'asseyant à son tour.

Elle attendit. Il valait mieux laisser Skye aller à son propre rythme. Cela prit un moment. D'abord, Skye regarda tout autour d'elle en balançant les jambes, puis elle fixa le plafond pendant plusieurs minutes.

— Est-ce qu'il t'arrive de te mettre en colère ? finit-elle par demander.

— Je t'ai crié dessus quand tu as fait brûler les biscuits.

— Non, je veux dire, te mettre vraiment, vraiment en colère. Péter les plombs, quoi.

— Lorsque Tommy Geiger a fait exprès de laisser tomber ma fiche de lecture dans une flaque de boue, je l'ai traité de tous les noms.

— Rosalind, ça remonte à des années ! Tu étais en CE1 ou en CE2 !

— C'est la seule fois dont je me souviens.

Skye se remit à fixer le plafond. Rosalind commençait à perdre patience. Si elle ne la brusquait pas un peu, elles risquaient d'y passer la nuit.

— Tu t'es mise en colère, aujourd'hui ?

— Oui, comment tu le sais ? Je me suis énervée contre Mme Tifton. J'ai dit des choses… Mais ce qu'elle a dit, elle, c'était terrible. Je n'ai pas pu m'en empêcher.

Rosalind savait qu'elle aurait dû la gronder. Les Penderwick ne s'énervaient pas contre des adultes, surtout lorsqu'elles avaient promis de bien se conduire en leur présence. Mais elle frissonna à l'idée que Mme Tifton ait pu raconter des choses sur elles. Elle devait savoir.

— Qu'est-ce qu'elle a dit ?

— Elle a parlé de maman.

Rosalind eut l'impression de recevoir une gifle. Le souffle coupé, elle regarda la photographie de sa mère sur la table de chevet. Sa mère bien-aimée, qui valait cent fois mieux que Mme Tifton.

— Comment a-t-elle osé ? Qu'est-ce qu'elle peut bien savoir sur maman ?

— Rien du tout. Elle se trompait et je le lui ai dit.

— Tu as bien fait.

— Alors tu ne penses pas que j'ai eu tort de me mettre en colère ?

— Eh bien…

— Parce qu'elle a aussi raconté des choses horribles sur nous. Elle a dit que j'étais sournoise et sarcastique, que Linotte était bizarre et que tu suivais Thomas comme un petit chien et que le jour où un homme se laisserait avoir, ce serait la fin de ton innocence.

— La fin de mon…

C'était pire qu'une gifle. Elle avait l'impression qu'on lui avait renversé un seau d'ordures visqueuses sur la tête. Rosalind se jeta à plat ventre et enfouit le visage dans son oreiller.

Skye était atterrée. N'aurait-elle pas pu se taire, pour une fois ?

— Je suis désolée, Rosalind. J'aurais dû garder ça pour moi.

— Non, tu as eu raison de m'en parler. Mais va-t'en, s'il te plaît. J'ai besoin d'être seule.

— Mais…

— Laisse-moi.

Tu ne peux pas rester allongée là pour toujours, se dit Rosalind. Oh que si ! Je peux rester là aussi longtemps que j'en ai envie, c'est-à-dire jusqu'au moment de monter dans la voiture pour rentrer à Cameron. Comme ça je n'aurai pas à revoir le moindre habitant d'Arundel. Mme Tifton n'est sans doute pas la seule à savoir quelle idiote j'ai été. Il y aussi Churchie, cet horrible Denis, Harry l'homme aux tomates. Peut-être même Thomas.

Rosalind ne cessait de s'agiter sur son lit. Elle était étendue là depuis plus de deux heures, perdue dans un tourbillon de pensées. Lorsque M. Penderwick était venu lui souhaiter bonne nuit, elle avait fait semblant de dormir tandis qu'il la couvrait et éteignait la lumière. C'était la première fois qu'elle faisait ça. Elle avait l'impression de l'avoir trahi. Les gens amoureux se conduisaient-ils tous ainsi ?

Était-elle amoureuse ? Elle s'était posé la question à plusieurs reprises ces derniers jours. La mère d'Anna disait qu'on était amoureux lorsqu'on avait l'impression d'avoir été renversé par un camion. Rosalind se sentait mal certes, mais peut-être pas à ce point-là. Renversée par une bicyclette, à la rigueur. Pouvait-on aimer quelqu'un qui ne vous aimait pas ? Et, plus important encore, quelqu'un qui ne vous avait jamais embrassée ? Anna pensait que non. Rosalind ne savait pas trop. Elle ne ressentait rien pour Nate Cartmell lorsqu'il l'avait embrassée à la fête de la Saint-Valentin, ni pour Tommy Geiger quand elle lui avait fait une bise sur la joue après avoir perdu un pari contre Anna. Mais ces deux épisodes remontaient à son enfance. Embrasser Thomas serait très, très différent.

Embrasser Thomas. Ces deux mots suffisaient à la faire rougir et à lui donner le tournis. C'est affreux, pensa-t-elle, je suis en train de devenir comme ces filles à l'école qui ne pensent qu'aux garçons. Elle s'assit brusquement et se tira les cheveux. J'ai besoin d'air frais pour m'éclaircir les idées.

Être dehors sans permission à minuit, sans que personne ne soit au courant, procurait une sensation très agréable. Rosalind sautillait dans l'herbe mouillée, le visage levé vers la lune, glorieuse et énigmatique, flottant éternellement dans les cieux. Que représentaient Mme Tifton et son petit esprit mesquin comparés à la lune ? Rien du tout ! Rosalind tourna sur elle-même, retrouvant un instant son insouciance.

Elle voulait revoir les jardins d'Arundel une dernière fois avant de retourner se cacher dans sa chambre. Elle courut le long de la haie, plongea dans le tunnel, fit le tour de la statue en marbre et s'arrêta subitement, frappée par la beauté des lieux. Le clair de lune avait transformé les jardins en un royaume enchanté, magnifique et mystérieux. Un royaume enchanté ? Qu'est-ce qui lui arrivait ? Elle se transformait en Jeanne ou quoi ? Elle se mit à courir à toute allure. Elle avait besoin d'exercice.

Elle arriva tout essoufflée à la mare aux nénuphars. Elle se laissa tomber sur un gros rocher qui dépassait de l'eau et s'allongea sur le dos pour admirer le ciel où scintillaient des milliards d'étoiles. Elle se demanda ce qu'elle ressentirait si Thomas était là.

De quoi parleraient-ils ? Des constellations ? Rosalind les avait étudiées à l'école, et ne se rappelait que la ceinture d'Orion. Mais parler serait peut-être inutile. Ils pourraient simplement se tenir la main et...

Cette vision s'évanouit en un éclair. Rosalind avait entendu quelque chose, et ce n'était pas une grenouille. C'était un rire.

Elle se retourna et regretta immédiatement d'avoir quitté son lit. De l'autre côté de la mare, deux personnes, qui n'étaient pas là une minute plus tôt, se regardaient droit dans les yeux. Rosalind pria pour qu'elles s'en aillent, mais non, elles ne bougèrent pas, complètement absorbées l'une par l'autre. Puis elle pria pour que le grand garçon avec une casquette ne soit pas celui qu'elle pensait. Elle n'avait encore jamais vu la fille, une adolescente aux longs cheveux roux, et espérait bien ne plus jamais la revoir.

Tout ira bien, pensa-t-elle, à condition qu'il ne l'embrasse pas.

Il l'embrassa.

Cette fois, elle eut l'impression d'avoir été renversée par un camion. Il fallait qu'elle parte d'ici, et vite. Sans un bruit, elle recula à quatre pattes en retenant son souffle. Plus que quelques centimètres. Oh, non ! C'était trop tard. Ils avaient arrêté de s'embrasser et se tournaient vers elle. Et elle, coincée sur ce rocher comme une araignée géante éclairée par la lune ! Elle devait agir. S'ils la voyaient, elle en mourrait. Si elle se laissait glisser vers l'eau sur le côté du rocher, elle serait un peu dissimulée. Elle glissa lentement, lentement, sans se faire remarquer, quand soudain...

— Oh, non ! glapit-elle en perdant l'équilibre.

Elle tomba bruyamment dans la mare.

— Est-ce qu'elle va bien ? demanda une voix féminine que Rosalind n'avait encore jamais entendue.

— Elle a dû se cogner la tête en tombant. Il faut
essayer de lui tenir chaud.

Rosalind connaissait cette voix. Elle appartenait à
un garçon dont elle ne voulait pas se rappeler le nom
pour l'instant. Elle sentit qu'il l'enroulait dans un tissu
doux et sec. Alors, seulement, elle se rendit compte
qu'elle était allongée par terre, trempée et frigorifiée,
et que sa tête lui faisait un mal de chien.

— Tu la connais ? demanda la fille.

— C'est Rosalind, l'aînée des sœurs Penderwick
dont je t'ai parlé. Oh, mon Dieu, elle se met à trem-
bler.

— Elle est plutôt jolie, tu ne trouves pas ?

— Je ne sais pas, ce n'est qu'une enfant. Écoute,
tu veux bien rester avec elle une minute ? Je vais
aller chercher M. Penderwick.

Rosalind remua et poussa un grognement. Elle
voulait leur dire de ne pas déranger son père, mais
lorsqu'elle ouvrit la bouche, elle s'entendit déclamer :

— « Tu as déjà eu trop d'eau, pauvre Ophélie ! »

— Qu'est-ce qu'elle raconte ?

— Je crois qu'elle délire. Rosalind, tu m'entends ?
demanda Thomas.

Pourquoi n'avait-elle pas été repêchée par un
inconnu passant par là ?

Elle ouvrit les yeux et ordonna à son cerveau de
fonctionner normalement.

— N'embêtez pas papa avec ça.

— Tu t'es cogné la tête, dit Thomas.

— Je vais bien, vraiment.

Elle essaya de se redresser et vit qu'elle était couverte par un sweat-shirt de l'équipe de base-ball des Red Sox. Thomas la força à se rallonger.

— Il ne faut pas que tu bouges.

— Je veux rentrer chez moi, dit-elle, et, à sa grande honte, elle se mit à pleurer.

— Alors je vais te porter.

— Non, non, je peux marcher ! protesta-t-elle, mais Thomas l'avait déjà prise dans ses bras.

Par-dessus son épaule, elle jeta un coup d'œil à la fille rousse. Elle est magnifique, pensa-t-elle. En comparaison, elle avait l'impression d'être un vulgaire sac à patates détrempé.

— Je te présente Kathleen, dit Thomas.

— Salut, dit Rosalind.

— Désolée pour ton accident.

Un accident ! À ce moment précis, son été tout entier lui apparut comme un énorme accident.

— OK, Rosy, accroche-toi. On y va.

Bien des années plus tard, Rosalind ne pourrait voir un sweat-shirt des Red Sox sans se rappeler ce long trajet jusqu'au pavillon. Kathleen ne cessait de jacasser au sujet d'amis qu'elle et Thomas avaient en commun (et que Rosalind n'avait jamais rencontrés), d'un film qu'ils avaient vu ensemble (une comédie romantique dont Rosalind n'avait jamais entendu parler), et des rendez-vous qu'ils avaient eus et de ceux qu'ils auraient encore. Thomas faisait quelques commentaires de temps à autre, mais Rosalind, elle, ne prononça pas un mot. Qu'aurait-elle bien pu dire ? Que toute cette histoire était terriblement humiliante ? Qu'elle n'avait pas su qu'ils seraient au bord de la mare, car, sinon, ç'aurait été le dernier endroit sur terre où elle serait allée ? Non, elle ne pouvait rien dire de tout ça, et elle savait désormais qu'il aurait été stupide de mentionner les constellations et la ceinture d'Orion. Alors elle ferma les yeux, appuya la tête contre l'épaule de Thomas (elle lui faisait tellement mal, et Rosalind n'avait nulle part ailleurs où la poser) et laissa ses larmes couler en silence.

CHAPITRE 15

Le livre déchiré

— **T**u veux me parler d'hier soir, Rosalind ? demanda M. Penderwick.

— Il n'y a rien à dire, papa, je t'assure. J'avais besoin de prendre l'air, alors je suis allée me promener, je suis tombée dans la mare aux nénuphars et je me suis cogné la tête contre un rocher.

Elle le regarda d'un air suppliant. Il avait été si gentil la veille, ne posant aucune question lorsque Thomas lui avait ramené son aînée à moitié noyée, avec un gros bleu sur le front. Allait-il exiger des confessions ce matin ? Elle s'était déjà tout avoué à elle-même pendant la nuit en se retournant sans cesse dans son lit : elle s'était conduite comme une imbécile en s'entichant de quelqu'un qui la considérait comme une enfant. Elle attendrait des années et des années avant de penser de nouveau aux garçons. Désormais, sa famille, ses amis et l'école seraient ses seules préoccupations.

— Mais pourquoi Thomas et cette fille...

— Kathleen.

— Ah, oui, Kathleen. Comment se fait-il qu'ils étaient là pour te porter secours ? Une simple coïncidence ?

— En quelque sorte. Enfin, oui.

— Et ça n'a rien à voir avec le fait que Skye est revenue complètement trempée hier ? Est-ce que Jeanne est la prochaine ? Est-ce que chacune de mes filles, l'une après l'autre, me sera rendue tout droit sortie de la grande bleue ?

— Oh, papa.

M. Penderwick regarda autour de lui, comme s'il cherchait de l'aide.

— Rosalind, tu es une grande fille désormais. C'est simple, il y a des choses chez les jeunes femmes que je ne comprends pas. Si seulement ta mère…

Il se tut. Les yeux de Rosalind se remplirent de larmes. C'était pire que des aveux. M. Penderwick se tourna vers elle.

— Réponds-moi, Rosy. Si ta mère était en vie, y aurait-il dans ce qui s'est passé hier soir quelque chose de trop honteux pour que tu le lui racontes ?

— Non, répondit-elle fermement.

— Alors, je ne me fais pas de souci.

— Embarrassant, peut-être, mais pas honteux.

— Ne m'embrouille pas les idées.

Skye déboula dans la pièce.

— Est-ce que Lucas est arrivé ?

— Non, répondit Rosalind.

— Ouah !

Skye eut un mouvement de recul en voyant sa sœur.

— Qu'est-ce que tu as à la tête ?

— Rien.

— Comment ça, rien ? C'est encore pire que la bosse que j'ai faite à Lucas en lui rentrant dedans.

— Elle n'a pas envie d'en parler, expliqua M. Penderwick.

Puis ce fut le tour de Jeanne. Elle arriva en effectuant des pas de danse et en brandissant un carnet bleu.

— Ça y est ! J'ai terminé mon livre ! Je me suis réveillée ce matin avec le dénouement en tête, je n'ai eu qu'à le mettre sur papier. Papa, je pourrais le taper sur ton ordinateur aujourd'hui ?

— Calme-toi une minute. Comment te sens-tu ?

— Je me sens bien, j'ai juste le nez qui coule un peu. Elle renifla bruyamment pour illustrer son propos.

— Finir mon livre m'a guérie.

— Dans ce cas, tu peux utiliser mon ordinateur. Aurons-nous ensuite la permission de lire ce chef-d'œuvre ?

— Bien sûr, papa. Rosalind ! Comment tu t'es fait ce bleu ?

— Elle ne veut pas le dire, répondit Skye.

— Pourquoi ?

— Parce qu'elle en a décidé ainsi, dit M. Penderwick.

Le téléphone sonna. Rosalind traversa la cuisine en courant et décrocha.

— Allô ? Oh, bonjour, Churchie. Oui, elle est là. Elle se tourna vers Skye.

— Churchie a un message pour toi.

— Ce doit être Lucas ! dit Skye en prenant le téléphone avec impatience.

Mais lorsqu'elle raccrocha, son enthousiasme s'était envolé.

— Que s'est-il passé ? demanda Rosalind, alarmée par le visage malheureux de sa sœur.

— Mme Tifton et Denis ont emmené Lucas en Pennsylvanie hier.

— En Pennsylvanie ! s'exclama Jeanne. L'Académie militaire de Pencey !

— Oh, non ! dit Rosalind en se laissant tomber sur une chaise.

Ses propres problèmes lui parurent soudain dérisoires.

— Quel est ce nouveau mystère ? demanda M. Penderwick.

Il fallut un certain temps pour tout lui expliquer. Les trois sœurs voulurent commencer par Pencey, mais pour qu'il comprenne bien, elles durent revenir en arrière et lui parler du général Framley et de West Point. Ensuite, il fal- lut lui expliquer l'influence du détestable Denis et mentionner le peu qu'elles savaient du père de Lucas. Et quand elles eurent terminé, Skye ne put s'empêcher de lui raconter ce qui s'était passé la veille dans le salon de musique. Du moins le plus gros. Elle laissa de côté ce que Mme Tifton avait dit sur leur mère et – Rosalind lui en serait éternellement reconnaissante – sur Rosalind et Thomas.

— Mme Tifton est une personne mesquine et mauvaise, dit Jeanne.

— Et je ne sais pas si Linotte s'en est remise, dit Skye.

M. Penderwick regarda par la fenêtre. Linotte jouait aux vampires avec Crapule. Couché sur le dos, il essayait de se dégager de la serviette noire qu'elle lui avait attachée autour du cou. Linotte faisait des bonds au-dessus de sa gamelle en hurlant « Du sang ! Du sang ! »

— Elle a l'air en pleine forme, dit-il. Mais je lui parlerai plus tard.

— Et Lucas ? dit Jeanne. Vous pensez qu'ils vont l'enfermer dans cette horrible école ? Le reverrons-nous un jour ?

— Churchie n'en sait rien, répondit Skye. Quand ils sont partis, hier après-midi, Mme Tifton a seulement prévenu qu'ils rentreraient cet après-midi ou dans la soirée. Elle n'a mentionné la Pennsylvanie qu'au dernier moment, et Churchie n'a pas eu l'occasion de parler à Lucas. Il a tout juste réussi à lui murmurer un message : « Dis à Skye que ce n'est pas sa faute. » C'est tout ce qu'il a dit.

— Churchie doit être bouleversée, fit Rosalind.

— Pauvre Churchie. Pauvre Lucas, dit Jeanne.

— Vous êtes vraiment certaines que Lucas ne veut pas aller à Pencey ? demanda M. Penderwick. Et qu'il ne montre aucun intérêt pour une carrière militaire ?

— Sûres et certaines, répondit Skye.

— Et l'a-t-il expliqué à sa mère ? En général, les parents désirent ce qui est le mieux pour leurs enfants. Toutefois, ils ne savent pas toujours ce que c'est.

— Il a essayé de lui expliquer, dit Rosalind, mais elle ne l'écoute pas.

— Ce n'est pas bien, dit M. Penderwick en observant ses filles. J'espère que je vous écoute toujours. En tout cas j'essaie.

— Papa, ne sois pas bête ! s'écria Jeanne en se jetant sur lui d'un côté, tandis que Rosalind se blottissait contre lui de l'autre.

— Quoique, dit Skye. Il y a bien eu cette fois où maman et toi avez voulu que nous accompagnions les demoiselles d'honneur au mariage d'oncle Gordon, alors que j'avais répété des tonnes de fois que je n'en avais pas envie.

— Skye, c'était il y a six ans ! dit Rosalind.

— Et j'ai dû porter une robe rose à fanfreluches et un chapeau ridicule couvert de rubans.

— J'adorais ce chapeau ! s'exclama Jeanne.

— Et les adultes n'arrêtaient pas de se pencher vers moi pour me dire à quel point j'étais mignonne.

— Je m'excuse, Skye, dit son père. Ça a dû être très difficile. Je promets que je ne te demanderai plus jamais ça.

— Merci, dit Skye, très digne.

— Mais nous sommes trop vieilles pour…, commença Jeanne.

Rosalind l'interrompit d'un froncement de sourcils et changea de sujet.

— Revenons à Lucas et Pencey.

— Oui, dit M. Penderwick en s'efforçant de ne pas sourire.

— Que pouvons-nous faire pour l'aider ? demanda Jeanne.

— Je ne suis pas sûr que nous puissions l'aider, dit M. Penderwick. Pour l'instant, nous ne pouvons qu'attendre qu'il rentre de Pennsylvanie.

— S'il revient, dit Rosalind.

— Oh ! s'écria Jeanne.

Et la tristesse s'abattit sur la cuisine comme un brouillard humide.

La culpabilité n'était pas un sentiment familier pour Skye. C'était pourtant ce qu'elle ressentait aujourd'hui. Lucas aurait bien pu lui laisser des milliers de messages pour lui dire que ce n'était pas sa faute, ça n'y aurait rien changé. Si seulement elle ne s'était pas battue avec lui dans le salon de musique ; si seulement elle n'avait pas crié sur Mme Tifton ; si seulement elle n'était pas aussi impétueuse et savait tenir sa langue…

Elle rôdait dans les jardins d'Arundel depuis une heure et observait le manoir depuis sa cachette, la tonnelle de roses. Il n'y avait rien de nouveau. La voiture de Mme Tifton n'était toujours pas là. Personne n'était rentré de Pennsylvanie. Même Thomas semblait avoir disparu. On aurait dit que les lieux avaient été frappés d'une malédiction, comme dans *La Belle au bois dormant,* ce dessin animé débile, ou, encore plus débile, *Blanche-Neige,* ou bien n'importe quel conte de fées que Jeanne connaissait par cœur.

Elle ouvrit le livre de maths qu'elle avait emporté et se laissa tomber sur un banc. Peut-être que des problèmes à deux variables lui changeraient les idées. *Si un morceau de bois de 14 centimètres est coupé en deux dans la proportion de 3 contre 4, combien mesure chaque morceau ?*

— Appelons le premier morceau x, et le deuxième y, dit-elle en griffonnant. $x + y = 14$. Avec une proportion de hum, hum, on fait une multiplication en croix et puis – ah ! ah ! – on substitue. Alors $4x = 3$ fois $14 - x$. $x = 6$ et $y = 8$. Pas de quoi fouetter un chat.

Elle sauta plusieurs pages pour trouver quelque chose d'un peu plus difficile, mais le livre semblait dépourvu de son charme habituel. Elle n'avait jamais vécu une journée aussi frustrante, et il ne faisait pas encore nuit. En plus, ses sœurs l'avaient abandonnée. Rosalind s'était enfermée dans sa chambre pour écrire une lettre à Anna (lui expliquait-elle d'où lui venait ce bleu ?) et Jeanne tapait son histoire sur ordinateur. Même Linotte n'avait envie de rien faire. Non pas que Skye ait recherché la compagnie de sa petite sœur, sûrement pas. Ce n'était pas comme si elles s'étaient rapprochées lors de cette marche sous la pluie.

Alors Skye avait passé toute la matinée à tirer des flèches sur le portrait de Denis, mais ce n'était pas drôle sans personne à qui se mesurer. Après le déjeuner, elle avait joué au foot toute seule : c'était encore pire que le tir à l'arc. Finalement, à bout de nerfs, elle était venue ici et s'était cachée sous la tonnelle la plus proche de l'allée. Tant qu'à mourir d'ennui, autant guetter Lucas.

Sauf que son ventre commençait à gronder férocement. Elle avait dévoré depuis longtemps le sandwich à la tomate et au fromage qu'elle s'était préparé, et il n'y avait rien d'autre à manger. Super. Non seulement elle se sentait seule, coupable et s'ennuyait, mais en plus elle avait faim.

— Sabrina Starr vient prendre son service, dit Jeanne en apparaissant sous la tonnelle.

— Je croyais que tu étais occupée, dit Skye en s'efforçant de dissimuler son immense soulagement.

— J'ai fini, et papa a lu mon livre. Il a dit qu'il était très bien, encore mieux que *Sabrina Starr sauve une marmotte*. Et nous avons dîné. Papa m'a envoyée te remplacer pour que tu puisses manger. Il m'a dit de te dire qu'il y avait des spaghettis au menu, au cas où tu ferais des histoires.

— Pourquoi tout le monde pense ça ? Je ne fais jamais d'histoires ! Ou du moins, plus maintenant.

— Ce serait un miracle !

Skye fit comme si elle n'avait rien entendu.

— Bon, Jeanne, ta mission est de surveiller et de rassembler des informations. S'ils arrivent, attends qu'ils rentrent dans le manoir, puis cours nous dire s'ils ont ramené Lucas.

— Je sais.

— Tu en es sûre ? Tu te souviendras qu'aucun adulte ne doit te voir ?

— Skye !

— D'accord. Je reviendrai après le dîner.

Elle ramassa son livre de maths et fila vers le tunnel.

Jeanne s'assit sur le banc et se prépara pour une longue attente. Elle avait apporté un paquet de mouchoirs et deux livres. L'un d'entre eux s'appelait *Magie au bord du lac,* et elle venait d'arriver au moment où Katharine se retrouvait coincée dans une jarre pleine d'huile dans la caverne d'Ali Baba. Elle avait beau lire ce livre pour la quatrième fois, elle attendait la suite avec impatience. C'est à ça qu'on reconnaît un grand livre, pensa-t-elle. Quand on peut le relire plein de fois sans jamais s'en lasser.

Mais malgré son envie de lire le passage où le génie apparaissait pour délivrer Katharine, l'autre livre qu'elle avait apporté, et qui se présentait sous la forme d'un classeur rouge contenant trente pages tapées avec soin, l'intéressait encore plus. Jeanne

201

caressa la couverture et se demanda si quelqu'un le lirait plus d'une fois. Ou si quelqu'un d'autre que son père le lirait tout court. Mais non, c'était trop triste de penser qu'un livre puisse être écrit avec tant de sueur et de joie pour être ensuite abandonné sur une étagère. Tu mérites de l'attention, cher livre, pensa-t-elle. Cérémonieusement, elle l'ouvrit et lut la page de titre.

SABRINA STARR SAUVE UN JEUNE GARÇON
Par Jeanne Laetitia Penderwick

— Magnifique.

Elle tourna la page, et commença sa lecture.

— Chapitre 1. « Le garçon solitaire prénommé Arthur regardait tristement par la fenêtre, loin de se douter que les secours étaient en route. Il ignorait que l'extraordinaire Sabrina Starr… »

Jeanne s'interrompit. Une voiture arrivait. Elle jeta un coup d'œil entre les roses. C'était celle de Mme Tifton ! Jeanne allait enfin avoir des nouvelles de Lucas. Était-il dans le véhicule ? Ou bien l'avaient-ils laissé en Pennsylvanie ?

La voiture s'arrêta. Jeanne essaya de compter les passagers à l'intérieur, mais le soleil se reflétait sur les vitres et, même en plissant les yeux, elle n'y voyait rien. La porte du conducteur s'ouvrit et Denis descendit. Il fit le tour de la voiture et ouvrit la portière du passager. Mme Tifton apparut, vêtue d'une robe bleue assortie à la carrosserie. Ils se tournèrent vers le manoir, et le désespoir s'abattit sur Jeanne. Ils avaient abandonné Lucas à Pencey. À l'heure même, la tête rasée, il devait pénétrer dans un dortoir rempli d'une centaine de garçons dont la musique était le dernier des soucis.

Et puis la portière arrière s'ouvrit, et Lucas descendit de voiture. Jeanne applaudit silencieusement et vida son imagination de ces visions cauchemardesques. Ouf, il était revenu ! Mais comment allait-il ? Jeanne ne distinguait pas son visage, caché sous son chapeau de camouflage. Au moins, il ne portait pas un de ces horribles uniformes militaires. Il y avait encore de l'espoir. Peut-être qu'il n'avait pas été accepté à Pencey.

Jeanne le regarda suivre Mme Tifton et Denis dans la maison. Elle rassembla ses livres et se prépara à retourner au pavillon. Elle allait attendre encore deux minutes que la voie soit libre. Elle compta les secondes. Un, mille. Deux, mille. Trois, mille. La porte d'entrée s'ouvrit. Denis sortit et se dirigea vers le coffre. Ah oui, les bagages ! pensa Jeanne. Je vais devoir attendre qu'il s'en aille.

Si seulement elle était restée assise tranquillement sur le banc à lire *Magie au bord du lac*. Mais Jeanne, cette optimiste incurable, n'avait pas abandonné sa théorie sur le bon côté de Denis. Elle avait pris soin cependant de ne pas en toucher un mot ni à Lucas ni à ses sœurs. Au fond d'elle-même, elle savait qu'ils réduiraient sa théorie en miettes et, avec elle, l'espoir que le bon Denis – M. Dupré – l'aide à publier son livre.

Jeanne prit *Sabrina Starr sauve un jeune garçon* et le serra contre son cœur. M. Dupré l'éditeur se tenait là, à quelques mètres d'elle. Devait-elle l'appeler ? Skye lui avait dit de ne pas se faire repérer par les adultes. Mais s'il publiait son livre et vendait les droits cinématographiques ? Elle aurait assez d'argent pour faire construire à Skye son propre laboratoire au sous-sol de leur maison. Cela compenserait-il le fait d'avoir fait échouer la mission ? Que faire ? Que faire ? Denis fermait le coffre. Dans quelques secondes, elle aurait laissé passer sa chance. Mais si… ? Et si… ? L'esprit de Jeanne tourbillonnait. Elle n'arrivait pas à se décider.

Son nez décida pour elle. Juste au moment où Denis soulevait les valises et se dirigeait vers le manoir, sa narine droite se mit à la chatouiller furieusement. Elle replongea dans la tonnelle, retint son souffle, colla sa main contre sa bouche. En vain. Un éternuement géant retentit, assez puissant, dirait-elle ensuite à Skye, pour pulvériser une douzaine de tonnelles de roses. En tout cas, assez puissant pour attirer l'attention de Denis.

Il se retourna.

— Qui est là ?

Voilà, pensa Jeanne, le destin a décidé pour moi. Elle prit son courage à deux mains (ainsi qu'un mouchoir au cas où son nez se remettrait à couler) et sortit de sa cachette.

— Bonjour, monsieur Dupré. C'est moi, Jeanne Penderwick. Je vous apporte mon livre.

Il n'avait pas l'air content de la voir.

— Quel livre ?

Jeanne brandit son précieux classeur rouge.

— Le livre que j'ai écrit. Vous avez dit que vous le liriez et que vous me donneriez quelques conseils.

— Vous êtes incroyables, vous, les Penderwick. C'est une blague, n'est-ce pas ?

— Non, ce n'est pas une blague, dit Jeanne, qui perdit soudain tout son entrain.

Où était donc passé le gentil M. Dupré ?

— J'ai travaillé très dur.

Denis laissa tomber les valises et lui arracha le classeur des mains.

— Je vais jeter un coup d'œil, mais ensuite tu devras t'en aller. Il ne faut pas que Rebecca te surprenne ici. Elle en ferait une attaque.

Jeanne retint son souffle. Voilà. Son avenir était en train de se jouer. Denis lut la première page du premier chapitre, puis passa à la moitié du livre et parcourut une autre page, puis il referma brusquement le classeur et le rendit à Jeanne.

— Tu as mal écrit « hélium ».

— Mais que pensez-vous de l'histoire ? Et de l'écriture ?

— À quoi tu t'attendais ? C'est nul. Maintenant, va-t'en.

Il ramassa les valises et pénétra dans la maison.

Jeanne arracha la page 8 du classeur, la déchira en petits morceaux puis jeta ceux-ci en plein milieu de sa chambre, où ils rejoignirent des centaines d'autres lambeaux de papier. Elle arracha la page 9 et lui infligea le même traitement.

— Coucou, Jeanne, tu es là ?

C'était Skye qui frappait à la porte.

— Va-t'en !

— Qu'est-ce qu'il y a ?

— Rien.

Elle arracha la page 10 et la déchira.

— Rosalind m'a dit que tu avais vu Lucas. On a un plan, mais je ne peux pas te le dire d'ici.

Jeanne se leva et s'approcha de la porte, qu'elle ouvrit de quelques centimètres.

— Dis-moi.

— Ce soir, toi et moi allons grimper dans la chambre de Lucas pour lui parler. Rosalind restera là pour nous couvrir. Je viendrai te chercher quand papa sera allé se coucher.

— D'accord.

— Pourquoi je ne peux pas entrer ?

— Parce que c'est comme ça, dit Jeanne en refermant la porte.

Elle se rassit sur son lit et s'attaqua à la page 11. Alors qu'elle arrivait à la page 20, on frappa de nouveau.

— Jeanne ?

C'était M. Penderwick.

— Va-t'en, papa, s'il te plaît. Je veux être seule.

— Je me fais du souci pour toi.

— Je vais bien.

— J'ai une question importante, mais je ne peux pas te la poser d'ici. Tu es sèche ?

Jeanne se leva et ouvrit la porte pour qu'il puisse la voir.

— Bien sûr que je suis sèche ! Quelle question !

— Plusieurs de mes filles sont rentrées trempées ces derniers jours.

Il regarda derrière elle les bouts de papier qui jonchaient le sol.

— Qu'est-ce que tu fais ?

— Si tu tiens à le savoir, je détruis *Sabrina Starr*

sauve un jeune garçon, et ensuite, je laisserai tomber l'écriture. Je n'ai aucun talent et il est temps que je l'admette.

— Mais Jeanne, c'est absolument faux ! Tu es un écrivain exceptionnel et ton nouveau livre est un véritable tour de force. Cette scène où Arthur jette son pain sec et son verre d'eau à la figure de Mme Atrocifer en hurlant « Donnez-moi la liberté ou donnez-moi la mort » ! *Excellens, praestans.*

— Tu dis ça parce que tu es mon père. Les professionnels ne s'y laissent pas avoir.

— Quels professionnels ?

— Denis, et c'est un éditeur, un vrai. Je lui ai montré mon livre, et il a dit la vérité. Il a dit que c'était nul.

Elle arracha une autre page.

— Mais, gentille petite folle, Denis ne publie pas de livres. Il publie un magazine sur les voitures.

— Sur les voitures ?

— Ça s'appelle *Des lignes sur la route*, tu imagines ? Pour ce que j'en sais, il s'y connaît autant que Crapule en littérature.

— Tu ne viens pas d'inventer ça pour me remonter le moral ?

— Bien sûr que non. C'est Thomas qui me l'a dit la semaine dernière alors qu'il me montrait comment propager de l'*Anemone hupehensis.*

— Oh, papa ! dit Jeanne en contemplant le papier éparpillé par terre.

— Ce n'était pas ton seul exemplaire ?

— Le dossier est toujours dans ton ordinateur. Je voulais l'effacer demain.

— Allons plutôt l'imprimer. Et nous le garderons toujours.

— Tu es sûr ? Tu as vraiment aimé la scène où Mme Atrocifer brandit le poing à la fenêtre en voyant s'éloigner la montgolfière ?

— Oui, je l'ai adorée.

— Et quand Sabrina doit atterrir d'urgence lors d'une tornade dans le Kansas ?

— C'était parfait.

Jeanne le dévisagea avec tendresse.

— Tu es certain que je suis un bon écrivain ?

— Bon ?

M. Penderwick prit le visage de sa fille entre ses deux mains.

— Ma petite Jeanne, tu es bien mieux que bonne. Tu as un don rare et merveilleux pour les mots. Et ton imagination ! Tu te rappelles ce que disait ta mère ?

— Que mon imagination était la huitième merveille du monde.

— Et ta mère était une femme très sage, n'est-ce pas ?

— Oui, papa. Je t'aime.

— Je t'aime aussi, ma fille. Maintenant nettoie ce bazar et va au lit. Les grands auteurs ont besoin de repos.

Et il sortit en refermant doucement la porte derrière lui.

CHAPITRE 16

La fugue

Skye, étendue sur son lit du mardi-jeudi-samedi, écoutait la musique d'opéra qui provenait de la chambre de son père, juste en dessous de la sienne. Un homme chantait – en italien, supposa-t-elle – et il semblait affreusement triste.

... *Come sei pallida ! E stanca, e muta, e bella...*

Elle ne raffolait pas vraiment de ce genre de musique. Elle ne voyait pas ce qu'on pouvait trouver à ces hurlements, dans une langue étrangère, par-dessus le marché. Mais sa mère avait adoré ça. Papa doit penser à elle, songea- t-elle.

Skye regrettait de ne pas avoir donné un coup de poing dans le nez de Mme Tifton quand elle en avait eu l'occasion. Ceux qui proféraient de telles horreurs sur Mme Penderwick méritaient qu'on leur casse le nez. Et puis elle se rappela qu'elle devait arrêter de rêver de faire souffrir Mme Tifton. Après tout, elle lui avait déjà hurlé dessus. Elle s'assit et se mit à agiter les bras comme une folle : contrôler son mauvais caractère n'allait pas être une mince affaire.

La musique s'arrêta. Dans quelques minutes, son père se coucherait et elle pourrait aller voir Lucas avec Jeanne. Elle se leva et regarda par la fenêtre. La lune brillait ; elles n'auraient pas de mal à escalader l'arbre.

Mais que se passait-il ? Quelque chose, ou quelqu'un, se déplaçait entre les arbres. Était-ce Crapule ? Non, il dormait dans la chambre de Linotte. Skye s'efforça d'ajuster sa vision à l'obscurité. Le revoilà ! On aurait dit un individu, mais avec une drôle de forme. Un bossu ? Qui était-ce ? Et voilà que l'inconnu levait quelque chose en l'air. Bing ! Une flèche à la pointe entourée de caoutchouc frappa la moustiquaire, juste devant elle.

— Lucas ? appela-t-elle doucement.

Il s'avança dans le clair de lune. Il portait son chapeau de camouflage, un sac à dos et un arc.

— Laisse-moi entrer.

— Je descends tout de suite.

Elle sortit de sa chambre en courant et se rendit dans celle de Rosalind.

— Prête à partir ?

— Changement de programme. RAP d'urgence. Dans ta chambre. Je reviens dans une seconde.

Skye descendit dans la cuisine et ouvrit la porte d'entrée.

— Qu'est-ce que tu fais là ? On s'apprêtait à venir te voir.

— Je m'enfuis, dit Lucas en posant son arc.

— Tu as perdu la tête ?

— Si tu avais vu Pencey…

— Oh, Lucas !

Skye avait une soudaine envie de pleurer, ce qui ne lui arrivait pourtant jamais.

— Tout est ma faute. Je n'aurais jamais dû m'en prendre à ta mère.

— Churchie ne t'a pas transmis mon message ? Ce n'était pas ta faute. D'ailleurs…

Il baissa les yeux et passa d'un pied sur l'autre.

— Tu ne t'es pas laissé faire. Tu as beaucoup de courage.

— Ce n'est pas du courage, juste du mauvais caractère.

Il releva les yeux.

— Non, c'est du courage, mais nous n'allons pas nous disputer là-dessus. Je veux vous raconter ce qui s'est passé en Pennsylvanie, et vous dire où je vais. Je peux entrer ?

Skye lui prit la main et ils remontèrent l'escalier sur la pointe des pieds. Puis ils entrèrent dans la chambre de Rosalind. Jeanne et Rosalind attendaient, assises sur le lit. Elles ne pensaient pas que Skye serait accompagnée.

— Lucas ! s'écria Rosalind.

— Il veut s'enfuir, annonça Skye.

— Oh mon Dieu, oh mon Dieu ! fit Jeanne. Lucas, tu en es sûr ?

— Oh, oui. Pencey…

— Attends une seconde, l'interrompit Rosalind. On ferait mieux de faire les choses dans les règles, au cas où tu nous confierais un secret. Tu veux bien attendre dans le couloir un instant ?

— C'est inutile, dit Jeanne. Il connaît déjà la

promesse sur l'honneur de la famille Penderwick. Nous lui avons expliqué lorsqu'il a sauvé Linotte du...

— Des broussailles, intervint Skye.

— Toutes ces épines, renchérit Jeanne.

— D'accord, dit Rosalind en regardant tour à tour les deux petites menteuses. Alors commençons. En place !

La porte du placard s'ouvrit brusquement et Crapule apparut en agitant vivement la queue. Il bondit sur Lucas et lui lécha le visage. Puis Linotte fit son entrée, en pyjama, Phanty dans les bras.

— Vous avez réveillé Crapule. Salut, Lucas.

— Salut, Linotte. Où sont tes ailes ?

— Je les enlève pour dormir, idiot.

— Linotte, retourne au lit, ordonna Skye.

— Non, dit-elle en se blottissant contre Rosalind.

— J'aimerais qu'elle reste, si ça ne vous dérange pas, déclara Lucas.

— Linotte, il faut que tu sois très, très sage, dit Rosalind. Et toi aussi, Crapule.

Le chien se laissa tomber par terre en grognant. Lucas enleva son sac à dos et s'installa près de lui.

— Tout le monde est prêt ? demanda Rosalind. RAP d'urgence, ou plutôt RSP d'urgence. En place !

— J'appuie la motion en deuxième position, approuva Skye.

— En troisième, dit Jeanne.

— En quatrième, surenchérit Linotte.

— Nous jurons toutes de ne répéter à personne ce qui sera dit ici, même pas à papa, à moins que l'on ne pense que quelqu'un va faire quelque chose de très, très mal, proclama Rosalind en tendant le poing.

Skye posa son poing sur le sien, puis Jeanne et Linotte firent de même.

— Toi aussi, dit Rosalind à Lucas, et il posa son poing sur celui de Linotte.

— Je le jure, sur l'honneur de la famille Penderwick, s'écrièrent-ils en chœur.

— Maintenant, Lucas, tu peux tout nous expliquer depuis le début.

— Tout a commencé hier. Maman était furieuse contre moi parce que…

Il jeta un coup d'œil à Skye.

— Je leur ai raconté.

— … à cause de ce qui s'est passé dans le salon de musique. Elle était tellement en colère qu'elle pouvait à peine me parler. Elle m'a envoyé dans ma chambre et m'a dit de l'attendre. Alors je me suis mis à jouer du piano, et un instant plus tard elle a débarqué en me disant de préparer une valise avec des affaires pour la nuit, un costume et une cravate parce que nous allions passer un entretien à Pencey. Un entretien, comme ça, sans préavis ! J'étais vraiment bouleversé. J'ai essayé de lui expliquer que je ne voulais pas aller là-bas, mais elle n'a rien voulu entendre. Elle a répondu que je m'étais mis moi-même dans cette situation et que je devais me dépêcher. Et puis elle m'a fait monter dans la voiture de Denis et nous sommes partis pour la Pennsylvanie.

Les quatre sœurs frissonnèrent. Désormais, elles ne voudraient plus rien avoir à faire avec cet État.

— En arrivant, on s'est installés à l'hôtel, et là ça allait encore parce que j'avais ma propre chambre et

213

qu'un super-film en noir et blanc est passé à la télé, *Ne tuez pas l'oiseau moqueur*.

Lucas s'interrompit un instant, comme s'il se rappelait le film.

— Bref, le lendemain matin, ils m'ont emmené à Pencey. C'était encore pire que ce que j'avais imaginé. Tout le monde faisait une tête d'enterrement, marchait au pas et saluait, le fusil sur l'épaule. J'ai passé un entretien avec le commandant Machinchose qui a servi sous les ordres de mon grand-père au Vietnam et il n'arrêtait pas de répéter que Grand-père était son idole. Lorsqu'il m'a demandé pourquoi je voulais étudier à Pencey, je lui ai répondu que c'était le dernier endroit au monde où je voulais aller. Ça l'a fait rire. Il m'a tapé sur l'épaule en me disant que je changerais d'avis lorsque j'aurais vécu plusieurs semaines comme un véritable soldat.

Après ça, nous sommes allés déjeuner, Mère, Denis et moi, et ils m'ont annoncé que je commencerais les cours dans trois semaines. Le vieux Denis a essayé de me présenter ça comme une super-nouvelle ; il n'arrêtait pas de dire que je devais m'estimer heureux que ma mère veuille m'envoyer dans une école aussi prestigieuse. Lorsqu'il a fini par se taire, j'ai essayé d'expliquer à Mère que je détestais Pencey et que j'y serais malheureux, mais elle m'a encore coupé la parole. D'après elle, un peu de discipline n'a jamais fait de mal à personne, surtout pas aux jeunes garçons qui ont de mauvaises fréquentations... Désolé, je n'aurais pas dû dire ça.

— Ne t'en fais pas, le rassura Rosalind.

— Je suis fière d'être une mauvaise fréquentation, dit Jeanne.

— Moi aussi, déclara Linotte. Et Crapule aussi.

— Que s'est-il passé ensuite ? demanda Skye.

— On est rentrés à la maison, et pendant tout le trajet Denis a déblatéré sur toutes les familles riches dont les fils allaient à Pencey, et sur le terrain de golf juste en face de l'école où je pourrais m'entraîner pendant mon temps libre. Mère était d'accord avec lui et elle me répétait que j'allais adorer ça. Je n'ai pas dit un mot du voyage, pas un seul. Je réfléchissais à ma fugue.

Il se frotta brusquement les yeux, puis reprit la parole à toute vitesse :

— Et ensuite je suis passé à l'action. Je suis monté dans ma chambre comme si de rien n'était, et je me suis préparé. J'ai mis mon sac de golf sous les couvertures pour que Mère me croie endormi si elle montait me voir. Et puis je suis descendu par l'échelle dans l'arbre et je suis venu vous dire au revoir. Cette nuit, je dormirai sous le stand de tomates de Harry. Lorsqu'il arrivera demain matin, je lui demanderai de me conduire à la gare routière.

— Mais où vas-tu aller ? l'interrogea Skye.

— À Boston. La fille de Churchie vit là-bas, et je sais qu'elle me laissera rester avec elle pendant quelque temps. J'irai dans un collège public, et je gagnerai de l'argent en apprenant le piano aux enfants. Comme ça je pourrai payer mes cours au Conservatoire de musique de Nouvelle- Angleterre. Ne riez pas !

— On ne rit pas, dit Rosalind.

— Parce que ce n'est pas aussi dingue que ça en a l'air. Si la fille de Churchie ne peut pas m'héberger, j'ai des cousins éloignés, là-bas. Mère ne leur a pas parlé depuis des années. Peut-être qu'en apprenant qu'elle ne me parle pas non plus, ils m'apprécieront et me garderont avec eux. L'argent de mon anniversaire paiera mon ticket de bus, et puis j'ai ça aussi.

Il ouvrit son sac à dos et sortit plusieurs livres reliés en cuir. Il en ouvrit un : il était rempli de pièces de monnaie à l'allure étrange.

— Mon grand-père collectionnait les pièces rares. Il me les a données avant de mourir. Je pense qu'elles valent beaucoup d'argent. Je pourrais les vendre à Boston, non ?

— Oui, répondit Jeanne.

— Et d'ailleurs, peut-être que je trouverai mon...

Il s'interrompit, soudain absorbé par les oreilles de Crapule, qu'il grattouilla avec concentration.

— Ton quoi ? demanda Linotte.

Pendant un long moment, on n'entendit rien d'autre que les halètements satisfaits de Crapule.

— Je pense qu'il parle de son père, dit Skye.

Lucas regarda les fillettes d'un air de défi.

— Mère l'a rencontré à Boston, vous savez. Il y est peut-être encore. C'est vrai que je ne connais pas son nom de famille, mais je ne ressemble ni à Mère ni à Grand-père, quoi qu'elle en dise. Alors je ressemble sûrement à mon père. Peut-être que je le croiserai un jour dans la rue et qu'il me reconnaîtra. Ce n'est pas impossible !

— Bien sûr que non, dit Jeanne. Les dieux du destin peuvent se montrer bienveillants.

Lucas lui lança un regard reconnaissant.

— C'est ce que je pensais.

— Eh bien..., commença Rosalind.

— J'irai à Boston avec toi, pour te tenir compagnie ! déclara Jeanne. Ensuite je reprendrai un bus pour Cameron et je vous retrouverai après-demain à la maison.

— Quoi ? s'écria Skye. Je suis plus âgée que toi ! Si quelqu'un doit l'accompagner, c'est moi !

— On se calme ! dit Rosalind.

— Je l'ai dit en prem's, s'exclama Jeanne.

— Je peux y aller, moi aussi ? demanda Linotte.

— Du calme ! s'écria Rosalind en tapant du poing sur le lit.

— Mais...

— Tais-toi, Skye, je suis sérieuse. Nous devons parler de tout ça dans le calme. D'abord, Lucas, tu sais très bien que ta mère partira à ta recherche. Si elle n'arrive pas à te trouver rapidement, elle appellera la police.

— Je m'en fiche, je n'irai pas à Pencey. Et je ne veux pas vivre avec Denis non plus. Maman peut bien faire ce qu'elle veut, je ne changerai pas d'avis. Et qu'est-ce que ça peut bien leur faire que je disparaisse, de toute façon ? Ils veulent se débarrasser de moi.

— Je ne sais pas ce que dit la loi, mais...

— Il ne s'agit pas de loi, Rosalind, la coupa Jeanne. Il s'agit de courage, de vérité et d'aventure.

— Et de défendre ses intérêts, ajouta Skye.

— Je sais tout ça, tout comme je sais que la mère de Lucas n'est pas la personne la plus compréhensive qui soit.

Skye tenta de l'interrompre, mais Rosalind la fit taire d'un regard sévère.

— Lucas, elle veut ce qui est le mieux pour toi, même si elle ignore ce que c'est. S'il existe un moyen de lui faire comprendre ce que tu ressens à propos de Pencey…

— Je ne peux pas lui faire comprendre ! s'écria Lucas d'une voix désespérée. J'ai essayé encore et encore.

— Je sais, dit Rosalind.

Et elle le pensait vraiment : il avait fait tout ce qu'il avait pu.

— Je dois partir, Rosalind, tu ne comprends pas ?

Tout en sachant qu'elle faisait une erreur, elle lui dit la vérité.

— Si, je comprends.

— Hourra ! s'écria Jeanne.

— Merci, Rosalind.

Il sembla soudain accablé de fatigue.

— Mais aucune d'entre nous ne l'accompagnera à Boston, dit Rosalind. Comment oseriez-vous infliger ça à papa ?

— Tu as raison, dit Jeanne. Nous irons lui rendre visite lorsqu'il sera installé.

— Et il pourra venir à Cameron, dit Skye.

— Pour voir Crapule, ajouta Linotte.

— Absolument, dit Lucas. Oh, et pendant que j'y pense. J'ai apporté quelque chose pour Linotte.

Il ouvrit son sac à dos et sortit la photographie de Crapule qu'elle lui avait offerte pour son anniversaire.

— Tu peux me la garder jusqu'à ce qu'on se revoie ?

— D'accord.

— Écoute, dit Rosalind. Tu n'as pas besoin de dormir sous le stand de Harry cette nuit. Linotte peut dormir avec moi, et toi tu prendras sa chambre. Je vais mettre mon réveil et je te ferai sortir d'ici à l'aube.

— Réveille-nous aussi, pour qu'on puisse se dire au revoir, dit Skye.

— Et rassembler des provisions pour le voyageur affamé, enchaîna Jeanne.

— Allez, tout le monde au lit ! Il est tard.

Jeanne et Skye rejoignirent leurs chambres, et Lucas emporta son sac à dos dans celle de Linotte. Il s'allongea sur le lit, tout habillé, mais Linotte avait de nombreux préparatifs à faire avant de se coucher. Il fallait poser Phanty sur le lit de Rosalind, puis aller chercher Ursula l'ours et ensuite Fred le deuxième ours. Rosalind réussit à la dissuader de prendre Sedgewick le cheval et Yann, son nouveau lapin en bois, prétextant qu'il n'y aurait plus de place pour elles. Linotte déclara ensuite qu'il lui fallait sa couverture aux licornes, si bien que Lucas dut se lever le temps que Rosalind l'échange avec la sienne.

Linotte accepta enfin de se coucher, mais se posa alors le problème de Crapule. Avec Lucas dans le lit de Linotte, et Linotte dans le lit de Rosalind, il était tout déboussolé. Où était-il censé dormir ? Il savait que Rosalind ne l'aurait pas laissé monter sur son lit, même s'il y avait eu de la place. D'un autre côté, il savait que Lucas accepterait sans problème, mais même s'il adorait le jeune garçon, ce n'était tout de même pas Linotte. Que pouvait faire un chien dans un cas pareil ? Il fit plusieurs allers et retours dans le placard en gémissant, jusqu'à ce que Rosalind, excédée, ferme les deux portes. Elle lui ordonna de dormir par terre, à côté de son lit.

— Surveille Linotte, dit-elle.

Ce n'était pas très juste, car la petite fille n'avait pas besoin qu'on la surveille. Mais au moins c'était un ordre que Crapule pouvait comprendre. Il poussa un gros soupir de soulagement, s'effondra par terre et s'endormit sur-le-champ.

Linotte s'endormit elle aussi en quelques minutes. Rosalind resta éveillée à s'inquiéter pour Lucas. Devait-elle le laisser s'enfuir ? S'il n'avait pas parlé de son père (l'expression qu'il avait eue alors !), elle aurait sans doute essayé de l'en dissuader. Mais si elle faisait une terrible erreur ? Elle aurait aimé pouvoir en parler à quelqu'un d'autre que ses jeunes sœurs, pour qui tout n'était qu'aventure. Quelqu'un comme Thomas, par exemple. Sauf qu'elle ne pourrait plus lui parler aussi facilement qu'autrefois. Peut-être même qu'elle ne lui parlerait plus jamais tout court. Il était passé dans l'après-midi pour prendre de ses nouvelles, mais elle s'était cachée dans sa chambre comme un bébé. Il ne reviendrait sûrement plus avant leur départ, le surlendemain. Il ne lui resterait que des souvenirs, car elle avait jeté la rose blanche du *Fimbriata* et demandé à son père de lui rendre son livre sur Gettysburg.

Des souvenirs, et son bleu. Elle sortit son bras de sous la couverture et se tâta le front. Il lui faisait encore mal – son père disait que ça durerait encore quelques jours –, mais au moins il ne se voyait plus, car elle l'avait dissimulé en changeant de coiffure. Tu parles d'un souvenir ! Tant pis ! Elle n'avait rien à faire de Thomas et de sa jolie Kathleen. Rosalind poussa un grand soupir, un peu comme celui de Crapule, sauf que ce n'était pas un soupir de soulagement. Et puis, finalement, elle réussit à s'endormir.

CHAPITRE 17

L'avant-dernier jour

Linotte se réveilla avant que sonne le réveil de Rosalind. Inutile d'avoir un réveil quand un chien vous lèche le visage.

— Va-t'en, souffla-t-elle à Crapule.

Le chien traversa la pièce en courant et se mit à gémir à la porte du placard. Zut ! Il allait réveiller Rosalind, qui rêvait toujours à côté d'Ursula l'ours. Linotte se glissa hors du lit, attrapa Crapule par le collier et tira. Il s'assit et refusa de bouger. Elle tira plus fort. En vain.

Dépitée, elle le relâcha et ouvrit la porte de la chambre. Avant même qu'elle ait pu sortir, Crapule la dépassa et alla se planter devant la porte de sa chambre, dans le couloir.

— Tu veux voir Lucas, c'est ça ?

Crapule lui jeta un regard malheureux.

— Moi aussi, j'aimerais bien le voir, mais on ne peut pas, parce qu'il dort encore. Allez, viens.

Le chien lui répondit par un petit jappement de défi, mais la suivit néanmoins dans l'escalier.

Linotte était autorisée à se servir seulement des céréales le matin et, depuis le jour où elle avait renversé un litre de lait sur la tête de Crapule, des céréales sans lait. Elle approcha une chaise du plan de travail, grimpa dessus, attrapa le paquet et redescendit. Comme tous les matins, elle versa un peu de céréales par terre pour Crapule, puis elle le laissa sortir afin qu'il puisse effectuer ce que M. Penderwick appelait « son rituel matinal ».

Maintenant, elle pouvait s'occuper de son propre repas. Elle prit son bol Peter Pan sur le rayon le plus bas de l'étagère, où on le rangeait spécialement pour elle, et s'immobilisa, la boîte de céréales en l'air. Crapule aboyait comme s'il était attaqué par des extraterrestres. Linotte regarda par la porte grillagée. En fait, des extraterrestres lui auraient paru moins effrayants. C'était Mme Tifton et Denis, et Crapule faisait de son mieux pour les garder à bonne distance du pavillon. Linotte recula. Trop tard : Mme Tifton l'avait vue.

— Linette, laisse-nous entrer ! s'écria-t-elle.

— Bon chien, dit Denis, et Linotte sentit qu'il n'en pensait pas un mot.

— Denis, écarte ce chien de mon chemin !

À sa grande horreur, Linotte entendit un bruit de claque et un glapissement. Elle ouvrit la porte à toute volée et appela Crapule. Il se précipita à l'intérieur et Linotte le prit dans ses bras, lui murmurant des mots apaisants à l'oreille.

Mme Tifton et Denis, qui se tenaient désormais juste devant elle, la dévisageaient. Mme Tifton n'était pas aussi soignée qu'à son habitude. Ses cheveux étaient tout décoiffés et elle portait des pantoufles ainsi qu'un vieil imperméable par-dessus sa chemise de nuit.

— Linette, nous cherchons Lucas. On peut entrer ?

Pour toute réponse, Linotte verrouilla la porte.

— Mon Dieu, Denis, elle nous a enfermés dehors ! Où est ton père, vilaine petite ?

— Rappelle-toi, Rebecca, elle ne parle pas.

— Je l'ai entendue appeler le chien. Elle peut parler si elle en a envie. Dis-nous si Lucas est là ! Je veux mon fils !

Linotte voulait s'enfuir loin de ces affreux personnages. Mais alors, qui les empêcherait d'entrer dans la maison, de frapper Crapule, de trouver Lucas et de l'emmener ? Elle devait être forte. Skye avait dit qu'elle était parfaite. Eh bien, elle allait le prouver en défendant le chien et les gens qu'elle aimait.

Linotte se redressa et fit face à ses ennemis.

— Ce n'est pas que je ne parle pas. C'est que je ne vous aime pas, et papa dit qu'on a le droit de choisir les personnes à qui on veut parler.

— Ton papa peut aller au...

— Rebecca, s'il te plaît ! dit Denis. Laisse-moi m'occuper de ça.

— Vous occuper de quoi ? demanda une voix derrière Linotte. Bonjour, ma puce.

— Oh, papa !

Linotte se jeta contre lui.

— Ils ont frappé Crapule.

— La petite exagère, dit Denis. Je lui ai donné une petite tape pour qu'il cesse d'aboyer. Veuillez m'excuser, ce n'est pas la meilleure façon de se présenter. Je suis Denis Dupré. Martin Penderwick, je suppose ?

— Ravi de faire votre connaissance, et bonjour à vous, madame Tifton, dit M. Penderwick en caressant les cheveux bouclés de sa fille. Que puis-je faire pour vous ?

— C'est Lucas. Il a disparu. Je me suis réveillée tôt parce que j'étais inquiète. Vous voyez, nous sommes partis en excursion et nous avons eu une terrible dispute…

— Terrible est un mot un peu fort, dit Denis.

— … et j'ai voulu voir s'il se sentait mieux, mais il n'était pas dans sa chambre. Il y avait seulement un sac de golf dans son lit et ce mot.

Elle appuya un bout de papier contre la porte grillagée.

— « Je n'irai jamais à Pencey. Inutile de me chercher », lut M. Penderwick.

— Je ne comprends pas ce garçon, dit Denis. Pencey est un excellent établissement.

— Tais-toi, Denis.

— Ce sont de terribles nouvelles, dit M. Penderwick. Mais pourquoi venir nous voir ? Lucas n'a pas mis les pieds ici depuis avant-hier.

— Oh, mon Dieu ! dit Mme Tifton en titubant légèrement. J'espérais le trouver ici. Mais vos filles, elles, doivent savoir où il est. S'il vous plaît, demandez-leur.

— Linotte, sais-tu où se trouve Lucas ? demanda M. Penderwick en baissant les yeux sur elle.

Elle n'ouvrit pas la bouche, mais le regarda d'un air suppliant qui en disait long. Après un moment, M. Penderwick ouvrit la porte.

— Je pense que vous devriez entrer et vous asseoir

quelques instants. Je vais aller parler aux trois aînées à l'étage.

— Je viens avec vous, dit Mme Tifton en se précipitant vers l'escalier.

— Je pense qu'il vaut mieux que vous attendiez ici.

— Mais je…

— Asseyez-vous, je vous prie, dit-il fermement mais sans brusquerie.

Mme Tifton s'effondra sur une chaise et se prit le visage entre les mains. Denis, dont Crapule reniflait les chaussures avec méfiance, s'assit à côté d'elle.

— Viens, Crapule, dit M. Penderwick. Et toi aussi, Linotte.

Ils montèrent l'escalier, et M. Penderwick frappa à la porte de Rosalind. Rosalind l'entrouvrit et le regarda.

— Bonjour, papa. Oups ! dit-elle en allant éteindre le réveil qui venait de se déclencher.

À peine avait-elle lâché la porte que Crapule se précipita à l'intérieur et se mit à aboyer devant la porte du placard. Rosalind l'attrapa et le tira dans le couloir. Lorsqu'elle le relâcha, il se posta devant la porte de Linotte et recommença son manège.

— Qu'est-ce qu'il a ? demanda M. Penderwick.

— Rien, dit Linotte.

Le chahut avait réveillé Skye et Jeanne qui se mêlèrent à l'attroupement dans le couloir.

— Que se passe-t-il ? fit Jeanne, à moitié endormie. Est-ce que Luc…

Skye lui donna un coup.

— Crapule, calme-toi ! dit M. Penderwick.

Le chien s'allongea et se mit à lécher la porte de Linotte.

— Bon, les filles.

— Oui, papa, répondirent-elles en chœur avec un visage d'ange.

— Mme Tifton et M. Dupré sont en bas. Apparemment, ils ont perdu Lucas. Jeanne ne l'aurait quand même pas emmené dans une montgolfière ?

— Oh, papa, bien sûr que non.

— C'est un bon début. Maintenant, allons un peu plus loin. L'une d'entre vous peut-elle me dire où il est ?

Personne ne répondit.

— Rosalind ?

— Non, papa, on ne peut pas, répondit-elle.

Ah, si seulement elle avait laissé Lucas dormir sous le stand de tomates de Harry ! Il serait parti depuis longtemps !

— Pouvez-vous au moins me dire s'il va bien ? demanda-t-il alors en scrutant attentivement leurs visages.

— Oui, il va bien, répondit Rosalind.

— Et il est bien installé ?

— Oui.

— Dans la chambre de Linotte ?

Un terrible silence s'installa. Elles baissèrent la tête.

— Oh, les filles !

— Si tu connaissais toute l'histoire, tu comprendrais, dit Skye.

— S'il te plaît, ne dis pas à Mme Tifton qu'il est là, supplia Jeanne.

— Je dois lui dire quelque chose. La pauvre femme est malade d'inquiétude.

Il réfléchit un instant.

— Bon. Je vais lui dire que tout ce que je sais pour l'instant, c'est qu'il va bien, et que je l'appellerai dès que je vous aurai extirpé la vérité.

Il s'approcha de la porte de Linotte et haussa la voix.

— Pendant ce temps, si l'une d'entre vous venait à croiser Lucas, qu'elle lui dise de ne pas trop se faire de souci. Il n'est pas tout seul.

La porte s'ouvrit lentement, et Lucas apparut, les cheveux ébouriffés, des cernes noirs sous les yeux.

— Bonjour, monsieur Penderwick. Je suis désolé de vous causer tant d'ennuis.

— Aucun problème, mon garçon. Aimerais-tu que je dise à ta mère que tu es là ?

— Merci, mais je vais descendre et le lui dire moi-même.

— Lucas, non ! s'écria Skye. Laisse papa s'en charger.

— C'est fini, Skye. Autant l'admettre. D'ailleurs, d'après Rosalind, je dois encore essayer d'expliquer à Mère ce que je ressens au sujet de Pencey. J'imagine que c'est l'occasion ou jamais.

— Et si j'avais tort ? demanda Rosalind en agrippant le bras de son père.

Elle ne voulait pas envoyer Lucas à l'abattoir.

— Tu as raison, dit M. Penderwick. Lucas, tu veux que je vienne avec toi ?

— Oui, monsieur, répondit-il en redressant les épaules. S'il vous plaît.

— Nous allons toutes venir, dit Rosalind.

— Peut-être seulement Jeanne, dit Skye.

Ces mots lui arrachaient la gorge.

— C'est la seule que Mme Tifton ne méprise pas complètement. Mais, Lucas, sache que nous sommes toutes là, au cas où il y aurait de la bagarre. Je plaisante, papa.

— Ha, ha, fit-il, non sans humour, puis il recula pour laisser passer Lucas.

Ils descendirent solennellement l'escalier. Jeanne, derrière son père et Lucas, était fière d'appartenir à la garde rapprochée de Lucas, même si elle avait espéré ne jamais revoir Denis qui était là, à se prélasser à la table de la cuisine. En quoi l'avenir de Lucas pouvait-il bien l'intéresser ? Quel abruti !

Mme Tifton traversa la pièce en courant.

— Lucas, oh, mon bébé !

Elle le serra longuement contre elle, lui murmurant des mots d'amour maternel. Les yeux de Jeanne se remplirent de larmes, et elle eut du mal à se rappeler à quel point elle la détestait. Mais soudain les murmures cessèrent, et Mme Tifton retrouva sa voix habituelle, dure et cassante.

— Comment as-tu pu me faire ça ?

— Je suis désolé, Mère. Je ne voulais pas vous inquiéter.

— Ne pas m'inquiéter ! Où avais-tu la tête ?

Elle l'éloigna d'elle, sans le lâcher.

— Que je ne m'inquiète pas quand mon fils unique disparaît ?

Lucas se dégagea.

— Je voulais seulement…

— Enfin, tu vas bien et c'est ce qui compte. Mais tu seras quand même puni. Rentrons à la maison et oublions tout ça en attendant d'avoir retrouvé nos esprits.

De toute évidence, Mme Tifton pensait lui faire une offre généreuse.

— Non, dit Lucas.

— Non ? répéta-t-elle, les mains sur les hanches. Comment ça, non ?

— Je veux qu'on parle maintenant, avant de rentrer à la maison.

— Ne pousse pas le bouchon trop loin, jeune homme. J'ai été incroyablement patiente jusqu'à présent, au vu de ce que tu m'as fait subir.

Lucas jeta un coup d'œil à M. Penderwick, qui l'encouragea d'un signe de tête. Il inspira profondément et repartit à l'assaut.

— Mère, j'ai quelque chose de très important à vous dire. J'ai déjà essayé de vous en parler, mais vous n'avez rien voulu entendre. Écoutez-moi, je vous en prie.

— C'est ridicule. Cite-moi une seule fois où je ne t'ai pas écouté !

— Asseyez-vous, et laissez-moi parler.

— Rebecca chérie.

Denis n'avait plus du tout l'air endormi : sans doute s'inquiétait-il pour son propre avenir.

— Tu n'as pas à faire ça devant ces gens.

Jeanne se hérissa. « Ces gens. » Un jour, lorsqu'elle serait célèbre et passerait à la télévision, elle raconterait l'histoire de Denis Dupré, M. Lignes-sur-la-route, et elle l'humilierait devant le monde entier.

— Juste une minute, et ensuite je rentrerai à la maison, je vous le promets, dit Lucas.

Mme Tifton regarda Denis, puis Lucas, et s'assit enfin sur une chaise.

— Ne t'inquiète pas, Denis. Rien de ce que Lucas a à dire ne pourrait m'embarrasser. S'il veut discuter de quelque chose d'important, je veux bien l'écouter une minute. Une minute, jeune homme, c'est tout ce que tu as.

— Je ne veux pas aller à Pencey. Ni le mois prochain ni l'année prochaine, jamais.

Mme Tifton se releva aussitôt.

— Nous n'allons pas revenir là-dessus !

— Mère, vous avez promis de m'écouter. J'aimais beaucoup Grand-papa, vous le savez bien, et il me manque toujours. Mais je ne suis pas lui, et je ne suis pas comme lui.

— Mais bien sûr que si, mon chéri. C'est ridicule. Nous l'avons su dès ta naissance…

— Tu le savais, Grand-père le savait, mais vous ne m'avez jamais demandé ce que j'en pensais.

— Tu défilais toujours avec la petite casquette militaire qu'il t'avait offerte à Noël, et tu te faisais appeler le général Lucas. Tu avais l'air si heureux.

— Je ne me rappelle rien de tout ça.

— Tu étais très jeune. Deux ou trois ans, je crois.

Elle se tut, mal à l'aise. Lucas se rapprocha d'elle.

— Vous vous souvenez que vous m'avez parlé de la fois où Grand-père avait essayé de vous apprendre à nager ?

— Bien sûr que oui, dit Mme Tifton en s'agitant nerveusement sur sa chaise.

— Vous aviez cinq ans et l'eau vous terrifiait, mais

il a insisté pour que vous appreniez. Vous avez eu beau le supplier, il vous a attrapée et jetée à l'eau...

Mme Tifton émit un petit bruit de gorge, et Jeanne vit des larmes scintiller dans ses yeux. Lucas s'interrompit, légèrement troublé, puis poursuivit :

— Il vous a jetée à l'eau, là où vous n'aviez pas pied, et vous avez cru que vous alliez vous noyer. Vous appeliez à l'aide, et tout ce qu'il répondait, c'était « NAGE, NAGE », jusqu'au moment où Grand-mère est arrivée et vous a sortie de là.

— Je ne comprends pas pourquoi tu me parles de ça, dit-elle, en larmes. Il y a longtemps que je lui ai pardonné cette histoire. Il faisait juste ce qu'il pensait être le mieux pour moi.

— Je le sais bien. Mais, Mère...

Il attendit qu'elle ait fini de s'essuyer les yeux.

— ... vous ne savez toujours pas nager, n'est-ce pas ?

— Oh, Lucas. Je suis tellement... Je suis tellement...

Elle regarda autour d'elle d'un air paniqué.

— Denis ! Je veux rentrer à la maison ! Ramène-moi à la maison !

Denis se leva immédiatement de sa chaise et conduisit une Mme Tifton chancelante jusqu'à la porte. Effrayée et abasourdie, Jeanne tira sur la manche de son père.

— Lucas n'a pas terminé. Ne les laisse pas partir.

— Il a fait un très bon début. Va le voir.

Jeanne se précipita vers Lucas qui se tenait, tout seul, au milieu de la cuisine.

— Oh, Lucas, Lucas, tu as été fabuleusement courageux.

Tout blanc, accablé, il parut presque ne pas la reconnaître.

— Courageux ?

Il tressaillit lorsque la porte d'entrée se referma bruyamment derrière sa mère et Denis.

— Tu ferais mieux de les suivre, mon garçon, dit M. Penderwick.

— Pas encore, papa, dit Jeanne.

— Si, ma petite Jeanne, c'est mieux ainsi. Pour le moment, il doit terminer sa conversation avec sa mère.

Jeanne courut jusqu'à l'escalier.

— Vite, il s'en va ! hurla-t-elle à ses sœurs.

Une seconde plus tard, tout le monde était en bas et Skye rendait son sac à dos à Lucas.

— Tu vas bien ? demanda-t-elle.

— Je ne sais pas.

— Il est temps d'y aller, Lucas, dit M. Penderwick. Je suis fier de toi.

— Merci, monsieur.

Il mit son sac à dos et sortit.

— Lucas, nous rentrons chez nous demain matin ! s'écria Skye.

— Il le sait, ma puce, dit M. Penderwick. On a fait tout ce qu'on a pu. Maintenant, c'est entre lui et sa mère.

Il n'y avait rien d'autre à faire que préparer le départ. Il fallait s'occuper des bagages et du ménage, toutes ces tâches déprimantes qui prennent toujours trop de temps. Lorsqu'elles eurent terminé, il s'était remis à pleuvoir, pas une pluie bien forte qui fait un bruit rassurant en tapant sur le toit et les fenêtres, mais un petit crachin désagréable et énervant. Personne n'avait envie de sortir, mais c'était trop triste de rester à l'intérieur avec tous ces cartons et bagages près de la porte d'entrée. Finalement, après une longue tirade en latin, sans doute sur le thème des filles et de l'humidité, M. Penderwick leur suggéra de faire des cadeaux d'adieu pour Lucas. Rosalind prépara donc un dernier gâteau au chocolat, rien que pour Lucas, sans une seule part pour Thomas. Jeanne relia un autre exemplaire de *Sabrina Starr sauve un jeune garçon* et, sur la page de garde, elle écrivit : « À Lucas, amitiés de l'auteur ». Après une longue lutte intérieure, Linotte décida de rendre à Lucas la photographie de Crapule, mais comme elle lui appartenait déjà, ça ne comptait pas vraiment. Elle sortit donc ses crayons de couleur et lui fit un dessin du taureau. Heureusement, comme elle n'était pas très douée, Rosalind crut qu'il s'agissait de Crapule et écrivit même le nom du chien, en capitales, au-dessous du dessin. Il ne restait plus que Skye, qui commençait à s'énerver de ne pas trouver d'idée. Enfin, l'inspiration la frappa. Elle vida l'un des cartons – en transférant les peluches de Linotte dans des sacs en papier –, découpa les faces et les reconstitua pour former une grande plaque. Elle y peignit le visage de Denis, avec une expression encore plus sournoise, pour faire une autre cible plus grande. Et au lieu d'ajouter les initiales DD, elle écrivit DDDD : le Débile et Dégueulasse Denis Dupré. Elle trouva le résultat vraiment impressionnant. Cela donnerait à Lucas une raison supplémentaire de se souvenir d'elle.

Et Lucas dans tout ça ? Que faisait-il en cette journée morose et interminable ? Les sœurs se postèrent chacune à son tour à la fenêtre pour guetter son arrivée, en vain. Il n'appela même pas. Elles en étaient malades d'inquiétude. Elles ne pouvaient plus aller frapper à la porte de Mme Tifton pour lui poser la question – cette période-là était terminée – et elles n'osaient pas téléphoner. Le soir venu, n'y tenant plus, elles décidèrent que Skye monterait jusqu'à la fenêtre de Lucas. Mais, comme elles le redoutaient, l'échelle avait disparu, et bien qu'il y ait de la lumière à la fenêtre de Lucas, Skye rentra au pavillon sans en savoir plus qu'à son départ.

— Tu es sûre qu'il était là-haut, au moins ? demanda Jeanne.

— Tu as vu son ombre, tu l'as entendu jouer du piano ?

— Non, répondit Skye. Rien du tout.

— Denis pourrait l'avoir assassiné et caché dans le placard qu'on n'en saurait rien, dit Jeanne.

— Si Denis touche un cheveu de Lucas, c'est moi qui vais l'assassiner.

— Je t'aiderai, déclara Linotte en brandissant Phanty avec virulence.

— Personne ne va tuer personne, dit Rosalind en adressant un regard sévère à Jeanne et à Skye.

— Désolée, fit Jeanne en se tirant les cheveux, frustrée. Mais je ne supporte pas cette attente.

— On rentre à la maison tôt demain matin, dit Skye. Et si Lucas n'est toujours pas venu nous voir au moment de partir ?

— Il viendra, décréta Rosalind. C'est obligé.

CHAPITRE 18

Au revoir et à bientôt

Mais le lendemain matin, alors que la voiture était chargée et la clef glissée sous le paillasson, la seule personne présente pour les adieux était Harry, vêtu d'une chemise noire proclamant : LES TOMATES DE CHEZ HARRY.

— J'ai mis du noir parce que je suis triste que vous partiez. Toute cette agitation va me manquer.

— Vous n'avez pas de nouvelles de Lucas ? demanda Skye.

— Depuis qu'il s'est enfui et que sa mère l'a retrouvé caché chez vous ?

Harry secoua la tête.

— Vraiment, tout ça va me manquer.

— Harry, dites-lui que nous lui avons laissé des cadeaux sur la véranda, dit Jeanne.

— Je n'y manquerai pas, dit-il en tendant un grand sac en papier à M. Penderwick. Quelques tomates.

— Merci, Harry. Très bien, les filles, c'est l'heure. Tout le monde à bord.

— Encore un petit moment, papa, dit Jeanne. Il va peut-être arriver.

— Je pense qu'il serait déjà là s'il avait pu venir. Je suis désolé, ma chérie, mais nous devons partir.

Skye et Jeanne fourrèrent Crapule dans le coffre avec les valises et les cartons, puis tout le monde se glissa à sa place, la même qu'à l'arrivée, trois semaines plus tôt. Les filles avaient l'air malheureuses comme les pierres et retenaient difficilement leurs larmes.

— Je n'ai pas dit au revoir à Yann et Carla, dit Linotte. Ils seront déçus.

— Tu pourras leur envoyer une carte postale quand on sera rentrés à la maison, proposa Rosalind.

— Oui, et à Churchie, aussi.

— Bonne idée.

— Et à Lucas ?

— Oh ! s'exclama Jeanne, en pleurs.

— Si nous n'avons pas reçu de nouvelles de lui dans quelques jours, je téléphonerai à Churchie, je vous le promets, dit M. Penderwick. Dites au revoir à Harry.

Harry s'éloignait dans sa camionnette.

— Au revoir, Harry ! Merci pour les tomates !

Les sœurs lui firent coucou tandis que Crapule aboyait tristement dans le coffre.

— En route, déclara M. Penderwick en démarrant.

La voiture s'avança dans l'allée, et quatre têtes se tournèrent pour regarder disparaître le pavillon jaune derrière les arbres.

— Au revoir, chambre blanche, dit Skye.

— Au revoir, passage secret dans le placard, dit Linotte.

— Au revoir, très chers Lucas et Churchie. Au revoir été, magie et aventure, et tout ce qu'il y a de superbe dans la vie, dit Jeanne.

Au revoir, rosier *Fimbriata* de Thomas, pensa Rosalind, et au revoir, Thomas. Elle se retourna et déplia la carte toute neuve qui remplaçait celle que Crapule avait mangée. Elle avait surligné en rouge la route à prendre, mais la ligne rouge lui parut soudain très floue. Elle essuya ses larmes, contrariée. Au bout de l'allée, on prend à droite dans la rue Stafford, se dit-elle avec détermination, et puis on prend à gauche sur…

— Oups ! fit M. Penderwick en enfonçant la pédale de frein.

Il avait oublié ses lunettes sur le plan de travail de la cuisine et il partit les chercher en courant. Cela permit à Jeanne et à Skye d'aller jeter un dernier coup d'œil dans le tunnel : en un clin d'œil, elles sortirent de la voiture et se ruèrent vers la haie.

Rosalind se retourna vers Linotte, toute petite et abattue sur le siège arrière.

— Ça va ?

— Non.

— C'est triste, les départs, pas vrai ?

— Oui.

Dans le coffre, Crapule gémit pour dire qu'il était d'accord.

Rosalind luttait pour ne pas gémir elle aussi. Car, maintenant qu'il était trop tard, elle comprit qu'elle avait fait une erreur. Je suis une idiote, pensa-t-elle. Je n'ai que douze ans, enfin, douze ans et demi, et Thomas est bien trop âgé pour être mon petit ami.

Mais c'était mon ami, et je l'ai évité lorsqu'il est venu me voir. Il n'est pas venu aujourd'hui et, s'il se souvient de moi, ce sera comme de cette petite idiote qui est tombée dans la mare et a gâché son rendez-vous. Je ne le reverrai plus jamais, de toute ma vie. Si seulement, si seulement...

— Hé, Rosalind !

Il était là, à la fenêtre, avec sa casquette de baseball, aussi détendu et amical que d'habitude. Les « si seulement » de Rosalind s'évaporèrent immédiatement, laissant la place à cette impression désormais familière d'avoir été renversée par un camion. C'était une sensation agréable, mais son cœur battait si fort qu'elle ne parvint pas à prononcer un mot et faillit tomber en descendant de la voiture. Thomas l'attrapa et la stabilisa avant qu'elle s'écroule par terre.

— Ta tête te fait encore mal ? demanda-t-il.

— Non, enfin, oui...

— Laisse-moi regarder.

Elle repoussa ses cheveux et il examina gravement son bleu tandis qu'elle essayait de se calmer.

— Il n'y aura sûrement pas de séquelles. À moins qu'il n'y ait eu une commotion cérébrale, ce qui expliquerait tes bafouillages.

— Je ne bafouille pas, dit-elle très lentement et distinctement.

— Tant mieux, dit-il en regardant dans la voiture. Tu as perdu le plus gros de ta famille ?

— Papa a oublié ses lunettes au pavillon et les filles cherchent Lucas. Ils ne vont pas tarder.

Elle remarqua alors que Thomas tenait une cage à la main. Heureuse d'avoir trouvé une excuse pour éviter son regard, elle se pencha et se retrouva nez à nez avec deux petites boules de poil serrées l'une contre l'autre.

— Tu as amené les lapins !

— C'est pour ça que je suis en retard. Carla s'est cachée derrière le frigo et j'ai dû courir un bon moment après Yann. Je me suis dit que Linotte aimerait les revoir avant de partir.

Le cœur de Rosalind, dont le rythme avait un peu ralenti, se gonfla de gratitude.

— Linotte, les lapins sont venus te dire au revoir !

— J'ai aussi apporté quelque chose pour toi, dit-il en soulevant un gros pot qu'il avait posé par terre. C'est un rosier *Fimbriata*. Je me suis dit que tu méritais d'en avoir un à toi, après m'avoir aidé pour le mien.

— Oh, Thomas !

Rosalind prit le pot et enfouit son nez dans une fleur blanche. Un cadeau ! Elle n'avait rien à lui offrir. Elle aurait dû lui donner du gâteau, tout compte fait. Finirait-elle un jour par comprendre les garçons ? Que devait-elle dire maintenant ? Heureusement, Linotte sortit à ce moment-là de la voiture et se jeta sur la cage, ce qui lui laissa un peu de temps pour trouver ses mots.

— Merci beaucoup pour le *Fimbriata*. J'en prendrai soin toute ma vie. Et merci d'avoir amené Yann et Carla. Linotte voulait désespérément leur dire au revoir.

Tout comme je voulais te dire au revoir. Cette pensée se lisait sur son visage, mais elle ne la prononça pas à voix haute.

— En fait, c'était l'idée de Yann, dit Thomas en tendant une carotte à Linotte.

Par-dessus son épaule, Rosalind vit que son père revenait, et elle entendit les voix de Skye et de Jeanne, qui n'allaient pas tarder à arriver elles non plus. Courage, Rosy, se dit-elle, c'est ta dernière chance de te comporter en adulte.

— Et pourras-tu dire au revoir à ta... à Kathleen, et la remercier de ma part ?

— Qui ?

Comment ça, qui ?

— Tu sais, la fille qui t'a aidé à me sortir de la mare.

— Oh, Kathleen. Ça n'a pas marché. Ce n'était pas facile de parler avec elle, pas comme avec toi. Garde bien cette qualité, Rosy, pour quand tu auras l'âge de penser aux garçons. Ils apprécieront.

Il se pencha vers elle et l'embrassa légèrement sur le front. Elle ferma les yeux. Enfin quelque chose de fantastique à raconter à Anna ! Lorsqu'elle les rouvrit, elle vit qu'il embrassait Linotte puis se dirigeait vers Skye et Jeanne. Probablement pour les embrasser, elles aussi ! Je pourrai m'estimer heureuse s'il ne fait pas pareil à papa et à Crapule. Enfin, au moins, je suis la seule à avoir un rosier.

— Pourquoi tu as l'air bizarre ? demanda Linotte.

— Je n'ai pas l'air bizarre.

— Si. On dirait que tu as envie de pleurer et de rire en même temps.

Rosalind déposa doucement le rosier devant son siège pour pouvoir le surveiller pendant le trajet.

— Je suis simplement contente de rentrer à la maison.

Quelques minutes plus tard, les Penderwick étaient remontés à bord et faisaient coucou à Thomas.

— Au revoir, Thomas, dit M. Penderwick. Merci pour toutes ces discussions sur les plantes.

— Au revoir, Yann et Carla, dit Linotte. Je vous aime.

— Au revoir, Lucas. Où es-tu passé, bon sang de bonsoir ? Même Thomas n'en sait rien ! dit Skye.

— Au revoir, santé mentale, dit Jeanne, car cette incertitude me rend dingue.

Rosalind fit un signe à Thomas et lui adressa un dernier sourire – adieu ! – puis elle mit la carte à plat.

— La rue Stafford, où est la rue Stafford ? marmonna-t-elle avant de réaliser qu'elle tenait la carte à l'envers. Elle la retourna bruyamment et...

— Papa, stop ! s'écria Skye à l'arrière. C'est Churchie !

En effet, Churchie courait dans leur direction entre les arbres. Elle s'approcha en faisant de grands gestes. M. Penderwick appuya de nouveau sur la pédale de frein. En un instant, toute la famille se retrouva dehors et courut la rejoindre.

— Churchie ! Churchie !

Jeanne et Linotte se jetèrent contre elle tandis que Skye dansait impatiemment autour d'elles.

— Qu'est-il arrivé à Lucas ?

Churchie était trop essoufflée pour répondre. Les fillettes crurent qu'elles allaient exploser d'impatience.

— Dieu merci, je vous ai rattrapées, réussit-elle

enfin à articuler. Oh, mes belles petites, vous allez tellement me manquer !

— Mais Churchie, dit Skye, et Lucas ?

— Attends une seconde, ma chérie, et il vous racontera tout lui-même. Il a emprunté le passage dans la haie au cas où vous ne seriez pas encore parties, et m'a envoyée ici dans le cas contraire. Le voilà. Je l'entends crier.

Elles l'entendirent alors hurler : « STOP ! ATTENDEZ, S'IL VOUS PLAÎT ! » Et puis elles le virent débouler dans le virage. Quelle joie ! Il courait si vite qu'elles n'arrivaient plus à distinguer ses jambes. Les quatre filles se précipitèrent à sa rencontre et Lucas disparut sous une pile de Penderwick. Lorsqu'il sortit la tête pour prendre une bouffée d'air, il se mit à rire et à parler à toute vitesse.

— Désolé d'être en retard, mais maman a téléphoné à l'école ce matin, et ils ont dit oui, et...

— Du calme ! s'écria Skye en agitant les bras devant lui.

— Recommence du début, dit Rosalind.

Il leur sourit.

— Tout va bien maintenant.

— Lucas ! s'impatienta Jeanne, dévorée par la curiosité.

Il se tut un instant pour les taquiner, puis reprit ses explications.

— Je n'irai pas à Pencey.

L'ovation fut si forte et si longue que tous les oiseaux d'Arundel, à en croire Churchie, s'enfuirent et ne revinrent qu'au printemps suivant. Lorsque les gorges des Penderwick finirent par fatiguer, Lucas reprit l'histoire du début.

— Lorsque nous sommes rentrés à la maison hier, Denis a voulu m'envoyer dans ma chambre, mais Mère a dit qu'elle voulait me parler. Alors c'est ce que nous avons fait, et elle a beaucoup pleuré, et nous avons encore parlé, et elle a encore pleuré. Ensuite Denis est rentré chez lui et nous avons encore discuté. Tu avais raison, Rosalind : j'ai enfin réussi à lui faire comprendre ce que je pensais de Pencey. C'était génial ! Elle a même dit que je ne serais pas obligé d'aller à West Point si je n'en avais pas envie. Ensuite nous avons abordé le sujet de Denis...

Le sourire de Lucas faiblit légèrement.

— Elle veut toujours l'épouser ? demanda Skye.

Il hocha la tête.

— Ça pourrait être pire, j'imagine.

— Elle pourrait épouser un tueur en série.

— Ou un loup-garou, dit Jeanne.

— Ou un...

Mais Linotte ne trouva rien de pire.

— Enfin, bref, je lui ai dit que si elle voulait l'épouser, je préférerais aller dans ce pensionnat à Boston – vous savez, celui dont je vous ai parlé – et elle a appelé le directeur ce matin. Il a accepté de me prendre en septembre, à condition que je ne sois pas trop nul, et Mère a promis de m'y conduire elle-même, rien qu'elle et moi, sans Denis. Et attendez ! Il y a encore mieux ! Elle m'a autorisé à suivre un cours de musique au conservatoire ! Un seul cours pour l'instant, mais c'est un début, non ?

— Oh, oui ! Oh, oui ! s'écrièrent les filles en chœur.

S'il restait quelques oiseaux à Arundel, cette fois ils s'envolèrent pour de bon. Jeanne et Linotte n'arrêtaient pas de sautiller dans tous les sens, et Skye jeta son chapeau et celui de Lucas dans les airs. Quant à Rosalind, elle alla jusqu'à embrasser Lucas sur la joue. Après tout, il y avait eu tant de baisers aujourd'hui ! Puis M. Penderwick, après avoir appris la nouvelle plus calmement, de la bouche de Churchie, vint serrer la main de Lucas et lui taper dans le dos. Churchie se mit à pleurer, puis Jeanne se mit à pleurer, et puis Linotte, et même Skye. Cette fois, il était vraiment temps de rentrer à la maison ! Alors, pour la troisième fois, les Penderwick montèrent dans leur voiture, le cœur et la conscience légers, soulagés par ce dénouement heureux.

Skye baissa sa vitre et Lucas se pencha à l'intérieur. Churchie se tenait derrière lui, la main posée sur son épaule.

— Tu vas nous manquer, Lucas, dit Jeanne.

— Nous lui rendrons visite à Boston, suggéra Rosalind.

— Et je viendrai vous voir à Cameron.

— Mais n'oublie pas, le prévint Skye, si tu ne viens pas, je te tuerai !

— Je m'en souviendrai, dit Lucas. Au revoir, Crapule, ne va pas te fourrer dans les ennuis !

Crapule agita joyeusement la queue. Le simple fait de penser aux ennuis le rendait heureux.

— Allez, tout le monde, en route ! déclara

M. Penderwick. Au revoir, Lucas. Encore toutes mes félicitations, et bonne chance !

— Au revoir ! Au revoir !

Et la voiture s'éloigna dans l'allée. Mais elle ne fit qu'une vingtaine de mètres. Linotte supplia son père de s'arrêter une dernière fois : il lui restait quelque chose à faire.

— Qu'est-ce qu'il y a, Linotte ? demanda Rosalind.

— C'est très important. S'il te plaît, papa, arrête-toi. Ça ne prendra pas longtemps.

M. Penderwick s'exécuta, et Jeanne laissa Linotte sortir de son côté. Tout le monde se pencha à sa fenêtre pour la regarder courir vers le pavillon en appelant Lucas. Il vint à sa rencontre.

— Qu'est-ce qu'elle mijote ? demanda Skye.

— Elle lui dit quelque chose, fit Jeanne.

— Il a l'air surpris, commenta Rosalind.

— Oh, oh, oh… Vous voyez ce qu'elle fait ? demanda Jeanne.

— Elle… Je n'arrive pas à le croire ! Elle enlève ses ailes et elle les donne à Lucas ! s'écria Skye.

— Et il les met ! ajouta Jeanne.

— Ma sage petite Linotte, dit M. Penderwick. *Maxima debetur puellae reverentia.*

Il n'y avait rien à ajouter. Ils attendirent en silence que Linotte revienne et s'installe à sa place.

— Maintenant, on peut y aller.

— Mais Linotte, s'exclama Rosalind. Tes ailes !

— J'ai dit à Lucas qu'il pouvait me les emprunter.

— Qu'est-ce qu'il a répondu ?

— Merci.

— C'est tout ?

— Non, il a dit au revoir et à bientôt.

— C'est bien, approuva Jeanne. Ça me plaît.

— Crapule, ordonna Linotte, dis au revoir et à bientôt.

— Wouaf ! fit Crapule.

Et ils s'en allèrent.

TABLE

Ouvrage composé par
PCA – 44400 Rezé

Imprimé en Espagne par
Liberdúplex
à Sant Llorenç d'Hortons (Barcelone)
en avril 2016

Dépôt légal : mai 2016

www.pocketjeunesse.fr
POCKET JEUNESSE

12, avenue d'Italie – 75627 PARIS Cedex 13